インド文化読本

小磯千尋・小松久恵　編

丸善出版

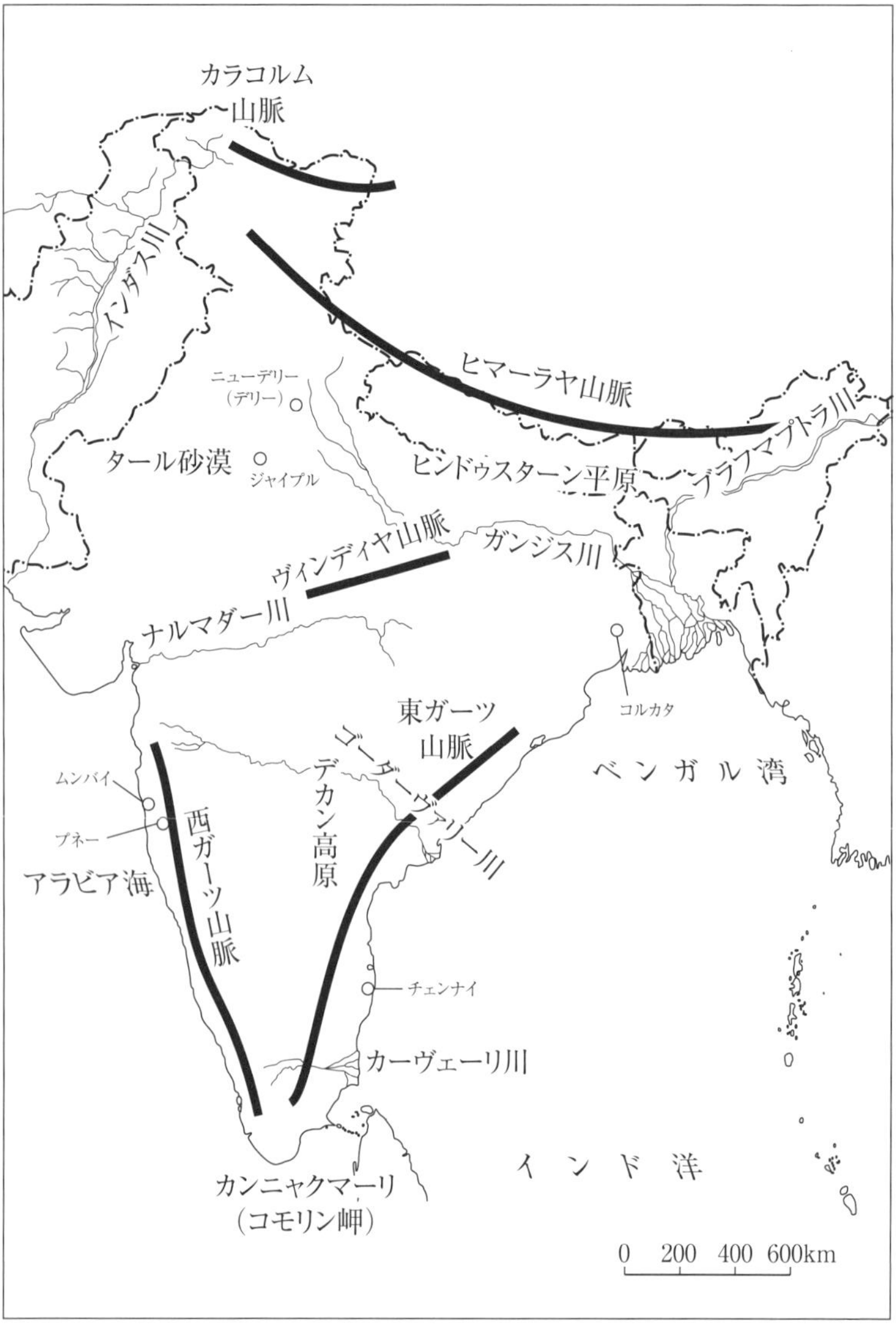
カラコルム
山脈
インダス川
ヒマーラヤ山脈
ニューデリー
（デリー）
タール砂漠
ジャイプル
ヒンドゥスターン平原
ブラフマプトラ川
ヴィンディヤ山脈
ガンジス川
ナルマダー川
コルカタ
東ガーツ
山脈
ゴーダーヴァリー川
デカン高原
ベンガル湾
ムンバイ
プネー
西ガーツ山脈
アラビア海
チェンナイ
カーヴェーリ川
インド洋
カンニャクマーリ
（コモリン岬）
0 200 400 600km

まえがき

インドはよく巨象にたとえられる。「立ち上がる巨象」と形容されてきたインドであるが、現在はさしずめ「動き出した巨象」であろうか。人口も二〇二三年には中国を抜き、一四億人を超える見込みという。今まで「悠久の国」「神秘の国」と呼ばれてきたインドであるが、最近は「映画大国」「IT大国」としても知られるようになってきた。米グーグルやマイクロソフトのCEOなど、世界的企業のリーダーとしてインド出身者が注目され、ジェネリック医薬品の世界最大プロバイダーとしても存在感を発揮している。

また、二〇二二年は日印国交樹立七〇周年という節目にあたる年である。かつてインドは「天竺」であり、「印度」であった。そして現在「インド（共和国）」として、変わらず日本と友好的な交流を続けている。ゴウタマ・シッダールタが仏陀となった地、独立の父ガーンディーや詩聖タゴールを生んだ地として、インドは多くの日本人の憧れを掻き立て続けてきた。ヨーロッパ全土がそこに収まってしまうほど広大であり、北には万年雪を頂くヒマーラヤの山なみ、南にはヤシの木々が生い茂る常夏の地、西にはタール砂漠、東には世界最多雨地域を擁するアッサムがある。気候も多様なら、そこに暮らす人々も言語も多様で、その人々が信仰する宗教も多岐にわたる。インドは知れば知るほど新たな発見があり魅力のつきない国である。

本書は若手のインド研究者たちを中心とする各分野のエキスパートたちが、インドの魅力を掘り下げたインド文化の入門書である。意識したのは、インドの「今」をそれぞれの視点から切り取ることであり、各自の学びと経験から得たインドとのつながりを提示することである。調査対象事物や人々と交わり、書物の山と格闘し、研究成果をまとめてきた研究者たちの筆によるものだけでなく、例えば、動画配信サービスの最新作も手がける字幕翻訳家藤井氏、メヘンディーの描き手にもなった長井氏、インドで現地学生に交じって修士、博士を終え、子育て、子どもの教育経験もある菊池氏、安全な食の流通のために起業した山﨑氏、インド中の働く人々をカメラに収め続けている三井氏といった方々の新たな知見と体験に基づいた切り口でもインド文化が語られている。ここに収められたインドの「今」は多彩かつ豊富な内容となったと自負している。

各頁の脚注には、本文の理解を深めるための補足資料（写真、図表、注、引用文献）を可能な限りきめ細やかに掲載している。さらに興味を深め、実態を確かめる一助として欲しい。

多言語社会インドにおいては、表記の問題がいつもついてまわる。本書では平凡社の『南アジアを知る事典』に準拠しながら、現地表記にできるだけ近づける努力をした。一般的になっている「チャーイ」や「サリー」などは初出にカッコで現地表記に近い（チャーエ）（サーリー）を加える形にした。

コラム執筆者である写真家の三井氏には、たくさんの魅力的な写真で表紙を飾っていただいた。ここに深く感謝したい。

最後になるが、本書の企画から煩雑な編集作業にいたるまで、柔軟に対応してくださった丸善出版の松平彩子さんに、この場を借りて心より感謝の意を表したい。

二〇二二年一〇月

編者　小磯千尋・小松久恵

目次

1 南アジア世界をかたちづくるモノたち
——印章、土器、装身具から

はじめに

インドやパキスタンを旅すると、至るところで古代や中世の時代に築かれたヒンドゥー寺院やモスクを目にする。それらの建築のスタイルには、地域的な特徴がある一方で、南アジア世界全体におよぶの歴史的特質の一つとして認識できるところがあるのも事実である。

歴史の変転の中で、南アジア内外各地のつながりをもとに、南アジア特有の文化的世界がかたちづくられてきたのである。その形成過程はきわめて複雑であり、簡単に説明できるものではないが、本章ではそうした南アジア世界の成り立ちの一端をモノ（物質文化＝日常生活に用いる道具や工芸品、造形美術、建築など）を通して垣間みることにしよう。

モノと南アジアの人類社会

モノは人類の歴史の中で非常に重要な役割を担っている。モノだけで人類社会が成り立っているわけではないが、モノの背景には、さまざまな生活様式や文化的行動、価値観が関わり、それらが相互に関係

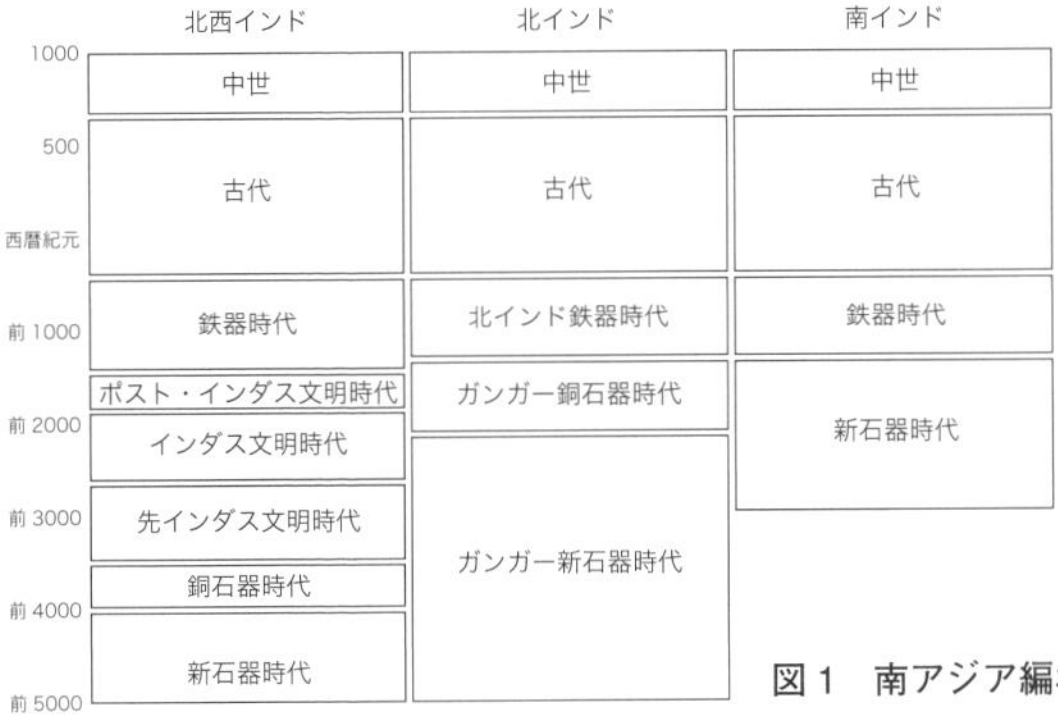

図１　南アジア編年表

し合って社会なり文化をつくりあげている。したがって，モノの研究が人類史の理解において重要な鍵の一つとなるのである。

南アジアにおいても，この地域に人類が進出して以来，多種多様なモノが生み出され，人々の生活のさまざまな場面で用いられてきた。時代，地域によってモノの素材，製作技術，かたち，使用方法は異なっている。またモノの組み合わせも時代と地域で多様である。考古学では，遺跡で出土するさまざまなモノ（遺物，遺構）を多角的に研究し，時代・地域ごとの物質文化の特質を明らかにする。さらにはその背景にある社会や文化のあり方についても研究を進めている。

近年，南アジアに限らず，考古学の研究対象は多様化，拡大し，研究方法も大きく変わりつつある。諸々のデジタル技術や科学分析（DNA分析や同位体分析，素材分析など）の導入がその代表である。結果として，モノの研究を通して，文献史料ではわからないさまざまな歴史事象が明らかにされつつある。本章では，南アジアの理解においてモノあるいは考古学の研究がどのような意義をもつのか，またそこからどのような南アジア世界の特質がみえてくるのか紹介することにしたい。

印章――インダス文明の特質を探る

インダス文明は，都市と文字をもつ南アジア最古の古代文明であ

図2　先インダス文明時代～文明時代の印章（左：グジャラート州ナーグワダー遺跡，中央：ハリヤーナー州ファルマーナー遺跡，右：グジャラート州バガーサラー遺跡）

る。インダス文明の遺跡は、現在のインド北西部とパキスタンに広く分布するほか、アフガニスタンの一部にも存在しており、この文明の一つの特質として「広域性」をあげることができる。[1]　この広大な地域には、乾燥性気候から湿潤性気候が含まれ、沖積平野から高原、山脈、海浜部といった多様な地形環境が内包されている。必然的に動植物相も多様で、人類にとって有用な資源も地域によって異なっている。インダス文明が広がった地域には、各地で文明以前の時代からさまざまな社会と文化伝統が展開しており、インダス文明はそうした地域社会＝文化群のつながりの上に成立していたのである。

　こうしたインダス文明の成り立ちと特質を理解する上で重要な鍵となるのが「印章」である。[2]　印章とは平たくいえばハンコである。印章は西アジアの新石器時代に起源し、古い段階には幾何学文が、後の時代（銅石器時代後半～青銅器時代＝前四〇〇〇～前三〇〇〇年頃）には、人や動物、文字からなる複雑な図像が描かれるようになる。

　南アジアでは、最古の印章は前三五〇〇年頃のバローチスターン高原に見出される。[3]　動物を描いた例もあるが、大半は幾何学文である。その起源をたどっていくと、イラン高原東半部にあり、南アジア最古の印章がイラン高原との関係の中で誕生したことを物語っている。[4]　インダス文明の時代（前二六〇〇～前一九〇〇年頃）になると、イラン系の幾何学文に代わって、動物と文字を描いた印章が中心となる。文

1　上杉彰紀，2022『インダス文明―文明社会のダイナミズムを探る』雄山閣.

2　同上.

3　Uesugi, A., 2011, “Development of the Inter-regional Interaction System in the Indus Valley and Beyond - A Hypothetical View towards the Formation of an Urban Society -”, T. Osada and M. Witzel, eds., *Cultural Relations between the Indus and the Iranian Plateau during the Third Millennium BCE*. Department of South Asian Studies, Harvard University, 359-380.

4　同上.

字は未解読であるが、一角獣をはじめとするさまざまな動物が描かれており、その独特なスタイルはイラン高原のものともメソポタミアのものとも異なっている。インダス文明の誕生に伴って、独自の印章スタイルが生み出されたのである。

かつてインダス文明の印章は、一貫したデザインをもつ器物として評価されていた。[5] しかし、近年の研究は、インダス文明の印章には多様性があり、印章のスタイルと彫刻技術に時間的変化があったことを明らかにしつつある。[6]

文明以前の時代から文明時代、さらには都市と文字が衰退したポスト文明時代にかけての印章には、スタイル、素材、技術、分布のさまざまな点において、多くの変異・変化を見出すことができる。[7] また、印章はインダス文明社会の根幹をなす政治＝経済に深く関わる器物であり、その変化はインダス文明社会の複雑な歴史を物語っている。広域性、多様性、統一性を特徴とするインダス文明社会は、文明域内外のさまざまな地域社会＝文化伝統の関係の上に成立した都市社会であり、「石製装身具」の節にみるように、メソポタミアを中心とする西方との交流関係の中で展開した社会である。[8] 印章の研究はそうしたインダス文明社会の複雑な成り立ちと展開を考える上で非常に重要なモノである。

5　例えば，Marshall, J. H., 1931, *Mohenjo-daro and the Indus Civilization*. Arthur Probsthain, 103.

6　Uesugi, A., et al., 2017, “A Study on the Stylistic and Technological Aspects of Indus Seals with a Focus on an Example from Bhirrana”, *Heritage* 4: 1–17.

7　Uesugi, A., et al., in press, “Diversity, Complexity and Standardization: The Significance of Seals in the Indus Archaeology”, *Proceedings of the Webinar on the Indus Civilization*. University of Kerala.

8　上杉彰紀，2022『インダス文明―文明社会のダイナミズムを探る』雄山閣.

図３　インダス文明期のハラッパー式彩文土器

土器――南アジア各地をつなぐモノ

次に、土器についてみてみよう。土器はいうまでもなく粘土をこねて焼いてつくった容器である。現代のインドでも素焼きの土器が広くつくられていて、日常生活のみならず、結婚を代表とするさまざまな儀礼の中でも土器が重要な容器として使いつづけられている。

南アジア最古の土器は前五五〇〇年頃のバローチスターン地方メヘルガル遺跡で出土している[9]。この初現期の土器は資料数が少なく、よくわからないところが多いが、前四〇〇〇年頃になると、インダス地域の各地に分布するようになり、以降、現代に至るまでスタイルと製作技術を変化させながら続いている。

土器は人々の日常生活において、主に調理、食事、貯蔵など食生活に関わって、多量につくられてきた。壊れると生活空間の付近に廃棄される。時代に関わらず、遺跡の発掘で多量の土器片がみつかるのは、土器が人々の生活の中で広く用いられていたことを示している。

しかし、土器は日常生活材としてだけでなく、さまざまなシンボリックな意味を与えられた器物であった。私たちの身の回りを見渡しても、器《うつわ》にはさまざまな装飾が施されている。装飾が精巧なもの、素材が良質のものほど、高い価値をもつし、ハレの場のような特別な機会にしか使わない器もある。こうした特別な器は歴史をさかのぼっても同じように存在している。

9　Jarrige, C., et al., 1995, *Mehrgarh: Field reports 1974–1985*, The Department of Culture and Tourism, Government of Sindh, Pakistan in collaboration with the French Ministry of Foreign Affairs.

図4　南インド巨石墓文化の黒色土器．テーランガーナー州ガッチボウリー遺跡の巨石から副葬品として出土した土器

南アジア北西部のインダス文明の地域では、前四〇〇〇年以降、彩文土器が広くつくられてきた[10]。インダス文明の時代の土器様式の一つであるハラッパー式土器では、動植物文と幾何学文からなる華麗な彩文を描いた土器と無文の土器が組み合わさって全体の土器様式が構成されている[11]。彩文土器は全体の一〇％以下で、食器や貯蔵具の一部に彩文が描かれている。それらは日常雑器というよりも、シンボリックな価値をもった器であった可能性が高い。事実、そうした彩文土器はインダス文明が展開した広大な地域に分布しており、都市社会の広域性を指し示している。

一方、北インドやインド半島部では、彩文土器は少なく、インダスの地域とは異なる土器伝統が育まれていた。鉄器時代には、土器の表面を黒く仕上げる黒色土器の伝統が南アジアに広く展開しているが[12]、これはこの鉄器時代において社会＝文化的求心力を高めた北インドのガンガー平原とその周辺地域の交流関係によるものである。鉄器時代のインド半島部に広く発達した南インド巨石文化においても、黒色土器の伝統が普及している[13]。その背景には、単に日常雑器としての土器ではなく、黒色という外観がシンボリックな意味をもち、それが地域間交流ネットワークの中で共有された状況がある。

古代（前三〇〇～六〇〇年頃）の時代には、南アジア全域で黒色土器の伝統はなくなり、素焼きの赤色土器が土器様式の核をなすように

10 上杉彰紀，2022『インダス文明—文明社会のダイナミズムを探る』雄山閣.

11 Uesugi, A., 2011, “Chapter 6: Pottery from the Settlement Area”, V. Shinde et al., eds., *Excavations at Farmana, Rohtak District, Haryana, India 2006-2008*. Indus Project, Research Institute for Humanity and Nature, 168-368.

12 上杉彰紀 , 2003「考古学から見た北インドにおける都市化の諸相」『古代王権の誕生 II 東南アジア・南アジア・アメリカ大陸編』角川書店，pp. 95-115.

13 Uesugi, A., 2018, “An Overview on the Iron Age in South Asia”, A. Uesugi, ed., *Iron Age in South Asia*, Research Group for South Asian Archaeology, Archaeological Research Institute, Kansai University, 1-49.

なるが、[14] かたちや製作技術には広域に展開する地域間交流ネットワークの存在をみてとることができる。拡大する地域間交流ネットワークの中で、土器を取り巻く生活様式と価値が各地で共有されたことを物語っている。もちろん細かくみていくと、地域ごとにさまざまな違いを見出すことができるが、鉄器時代から古代の時代にかけて、南アジア各地がつながり、交流ネットワークが形成されていった様子をみてとることができるのである。

インダス文明は南アジア北西部において、西方との交流をテコに広域ネットワークを基盤にして発達した都市文明であったが、前一五〇〇年以降の鉄器時代から古代は、南アジア全域が一つの交流ネットワークの中に取り込まれ、南アジア世界とよび得る文化的世界がかたちづくられた時代であった、ということができる。土器はそうした地域間交流ネットワークの発達過程を知る上で重要なモノなのである。

石製装身具――南アジアと周辺地域の関係

身を飾るという行為は人類に特有の行為である。南アジアでも、新石器時代（前七〇〇〇年頃）にさかのぼるメヘルガル遺跡でさまざまな素材を用いた装身具がみつかっている。[15] メヘルガル遺跡はバローチスターン高原中央部に位置する内陸部の遺跡であるが、イラン高原や

14　上杉彰紀，2019「鉄器時代・古代の南アジアにおける土器変遷―土器からみた北インドと周辺地域」西南アジア研究 89，pp. 1-33.

15　Jarrige, C., et al., 1995, *Mehrgarh: Field Reports 1974-1985*, The Department of Culture and Tourism, Government of Sindh, Pakistan in Collaboration with the French Ministry of Foreign Affairs.

図5　インダス文明時代の石製ビーズ

アフガニスタン北部からもたらされた色鮮やかな石材や南のインド洋沿岸部で入手された貝を素材とした装身具が含まれている。遠近さまざまな場所からもち込まれた素材がさまざまな意味や価値を与えられて人々の身を飾るのに用いられていたことがわかる。

インダス文明の時代には、そうした装身具の生産と消費が著しく発達した。紅玉髄、瑪瑙《めのう》、碧玉、アマゾナイト、凍石、ラピスラズリ、海産性貝、金、銀、銅、ファイアンス（石英の粉末の着色料を混ぜ焼いたガラス質の素材）など多様な素材でネックレスやブレスレットがつくられたのである。[16]

重要なのは、これらの素材の多くが特定の場所でしか産出しないということである。例えば、紅玉髄や瑪瑙はグジャラート地方に一大産地をもち、ラピスラズリはアフガニスタン北部にしか産出しない。そうした産地の偏在性が各種素材に稀少価値や意味を与えたのである。加工された装身具はインダス文明域内に広く流通しているだけでなく、メソポタミアやアラビア半島、中央アジア南部に輸出されていた。メソポタミア南部のウル遺跡の王墓群で出土した数多くの石製装身具には、インダス産と考えられる紅玉髄製ビーズが多数含まれている。[17][18] ラピスラズリ製のビーズはインダス地域で生産されたものかどうかわからないが、アフガニスタン北部産の稀少な素材を用いた装身具がメソポタミアで高い価値を与えられていたことを物語っている。

16 Uesugi, A., et al., 2018, "Indus Stone Beads in the Ghaggar Plain with a Focus on the Evidence from Farmana and Mitathal", D. Frenez, et al., eds., *Walking with the Unicorn,* Archaeopress, 568–591.

17 Wooley, C. L., 1934, Ur Excavations, *II: The Royal Cemetery*. The University Museum.

18 Zettler, R. L. and L. Horne, eds., 1998, *Treasures from the Royal Tombs of Ur*. University of Pennsylvania Museum of Archaeology and Anthropology.

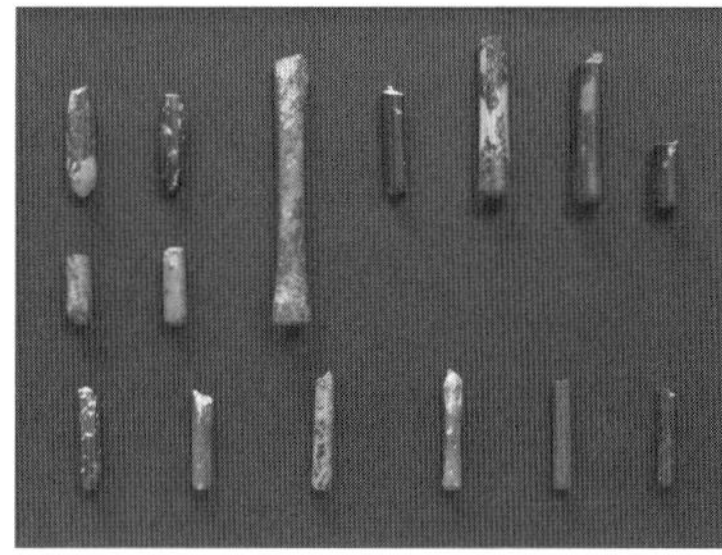

図６　インダス文明時代の石製ドリル

このように石製装身具は、インダス文明やメソポタミア文明を含む西南アジア文明世界における広域交流ネットワークとその中での人とモノの移動を証拠づける資料であるが、南アジア産の石製装身具は後の鉄器時代や古代の時代についても、南アジアとその周辺地域の交流関係を知る上で重要である。鉄器時代には、インダス文明のビーズづくりの技術がガンガー平原に伝えられ、さらにはインド半島の南インド巨石文化にも伝播していく。[19]

ビーズを装身具として仕上げるためには、紐を通すための孔をあける必要がある。しかし、ビーズに用いられる紅玉髄や瑪瑙は非常に硬い石であり、それにまっすぐの孔をあけるには、それ相応の工具と技術が必要である。インダス文明の時代には、特殊な石製ドリルが生み出され、[20]長さ一〇ｃｍにも及ぶビーズを生産することを可能にした。それが西南アジア文明世界の中でインダス産ビーズに高い価値が与えられた理由である。鉄器時代のガンガー平原ではダイアモンドドリルとよばれる工具が生み出され、インダス文明の時代のそれよりも効率的なビーズづくりの技術が発達する。[21]

インド半島部では、銅製ドリルが用いられていたようで、[22]孔をあける技術はガンガー平原のそれとは異なっていたが、植物灰を用いて紅玉髄製ビーズの表面に文様を描く技術は、インダスやガンガーの伝統と共通している。インド半島のビーズに描かれた文様は、ガンガー平

19　Uesugi, A., 2018, "An Overview on the Iron Age in South Asia", A. Uesugi, ed., *Iron Age in South Asia*, Research Group for South Asian Archaeology, Archaeological Research Institute, Kansai University, 1–49.

20　Kenoyer, J.M., 1997, "Trade and technology of the Indus Valley: new insights from Harappa, Pakistan", *World Archaeology* 29(2): 262–280.

21　Kenoyer, J. M. and M. Vidale, 1992, "A New Look at Stone Drills of the Indus Valley Tradition", P. B. Vandiver, et al., eds., *Materials Issues in Art and Archaeology III*. Materials Research Society, 495–518.

22　Uesugi, A., et al., 2019, "Stone Beads from Megalithic Burial at Niramakulam, Kerala", Rajesh S. V., et al., eds., *Human and Heritage: An Archaeological Spectrum of Asiatic Countries*, New Bharatiya Book Corporation, 1–22.

原のものと共通しており、ガンガー平原との交流関係を示している。[23]
鉄器時代の末から古代初頭の時期（前四世紀頃）になると、南アジアと東南アジアの間で海洋交易が活発化しはじめる。タイのバン・ドン・ター・ペット遺跡では、この時期の墓から、南アジア産（おそらくは北インド、ガンガー平原産）の紅玉髄、瑪瑙製ビーズが出土している。[24] 同じく南アジア産と考えられる紅玉髄、瑪瑙製ビーズがアラビア半島北岸の西暦紀元前後の遺跡でも多く出土しており、[25] 南アジア産石製ビーズを運ぶ海洋交易ネットワークが東南アジアからアラビア半島北岸、さらにはメソポタミア方面へと延伸していたことがわかる。
この背景には、鉄器時代から古代の南アジア各地における都市の出現と広域地域間交流ネットワークの発達がある。インダス文明の時代もそうだが、都市社会の発達は周辺地域との交流関係の活発化と表裏一体の関係にある。石製装身具は、まさに南アジア内部における人、モノの移動と、周辺地域との交流関係を物語る重要な資料といえよう。

土偶――古代南アジアの信仰世界

今一つ遺跡から多く出土する遺物として土偶について紹介しよう。土器と同じく粘土でかたちをつくり、焼いただけの簡便なつくりであるが、南アジアでは歴史を通して信仰に関わる器物としてつくられて

23 Uesugi, A., 2021, "Stone Beads of the Indian Peninsular Megalithic Culture: Its Characteristics and Significance", Abhayan G. S., et al., eds., *Iron Age in India: Some* Thoughts. Department of Archaeology, University of Kerala, 1–34.

24 Glover, I. C., et al., 1984, "The cemetery of Ban Don Ta Phet, Thailand: results from the 1980–1 excavation season", B. Allchin, ed., *South Asian Archaeology 1981*. Cambridge University Press, 319–330.

25 Salman, M.I. and S.F. Andersen, eds., 2009, The Tylos Period Burials in Bahrain, 2: *The Hamad Town DS3 and Shakhoura Cemeteries*. Culture & National Heritage, Kingdom of Bahrain/Moesgård Museum and Aarhus University.

図７　南インド巨石文化の紅玉髄製ビーズ

きた。時代、地域によって異なる表現対象をもち、かたちや製作技術も異なっている。インダス文明の時代であれば、女性を中心とする人物像とコブウシを中心とする動物像がつくられている。[26] 鉄器時代の北インドでは、前四世紀頃以降、女性土偶とゾウ、ウマを中心とする動物土偶が多くみつかっている。[27] 前一世紀頃には、シュンガ・スタイルとよばれる型づくりの土製板が流行するが、そこには女性を中心とする人物像と建築物を組み合わせた精緻な図像が写実的に表現されている。西暦紀元後になると、坐像形式の男性と女性の人物像やコブウシが多くつくられるようになる。[28,29]

　このように一口で土偶といってもさまざまな表現対象とスタイル、製作技術があり、それぞれの時代・地域で特色をもっているが、多くの表現例をもつ女性像は地母神などの女神と考えられる。西暦紀元前後の女性像はドゥルガーやラクシュミー、ヤクシニーの原型と考えられる女神を含んでいるが、自然の豊饒性に対する信仰を神格化、造形化したものとみることができる。

　注目されるのは、北インドのガンガー平原では、紀元後の時期に土偶が仏教寺院の遺跡でも出土することである。[30] 西暦紀元前後の時期以降、ガンガー平原ではマトゥラー様式と総称される仏像が製作され、礼拝対象として仏教寺院に安置されるが、そうした仏像とともに特定の宗教に限定されない土偶が出土するのである。こうした状況は、仏

26　Marshall, J. H., 1931, *Mohenjo-daro and the Indus Civilization.* Arthur Probsthain, 103.

27　上杉彰紀，2003「考古学から見た北インドにおける都市化の諸相」『古代王権の誕生 II　東南アジア・南アジア・アメリカ大陸編』角川書店，pp. 95–115.

28　網干善教・高橋隆博編，2000『マヘート遺跡発掘調査概報　1991～1999年度』関西大学考古学研究室.

29　Uesugi, A., 2021, “Perspectives on the Iron Age/Early Historic Archaeology in South Asia”, *Purātattva* 50: 138–164.

図8　北インド古代の土偶

教寺院の多面性を物語っているといえるだろう。諸々の神々あるいは観念世界の併存・共有という現象は、南アジア世界の信仰世界の特質ということができるが、自然信仰あるいは民間信仰に由来すると考えられる土偶もまた南アジアの信仰世界の一部をなし、古代における諸宗教と共存していたとみることができるだろう。南アジア世界がもつ多様性の一端を垣間みせてくれる。

おわりに——考古学からみた南アジア世界のダイナミズム

モノが南アジア世界の理解においてもつ意義について、いくつかの例を取りあげながら概観してきた。限られた紙幅の中で時代背景や社会のあり方について詳述することはできなかったが、モノがさまざまな性格をもち、社会＝文化の諸側面と関わりながら、南アジア史を彩ってきたことは知っていただけたかと思う。

考古学の成果をもとに南アジアの先史時代から鉄器時代、古代を通観したときに浮かび上がってくるのは、南アジア世界の多様性と統一性である。広大な南アジアには多様な自然環境が包摂され、そこに暮らした人々もまた多様な文化伝統を生み出してきた。その一方で、「南アジア世界」とよび得る一体性をもった世界が存在することも確かである。そうした多様性と統一性の南アジア世界は、先史時代から段階的に形成されてきた歴史的産物である。

30 関西大学日・印共同学術調査団編，1997『祇園精舎—サヘート遺跡発掘調査報告書』関西大学出版部．

モノ（物質文化）は人類の生活と文化，あるいは社会において欠くことのできない要素である．南アジアを旅すると，人々の生活に密着してつくりつづけられてきたモノに遭遇する．

その代表は土器である（図 9）．現代でも，南アジアの各地で土器がつくられ，生活の中で使用されている．現地で土器職人に聞く話や，遺跡から出土する土器の研究を重ね合わせると，そこには先史時代から続く文化伝統と，歴史の中で繰り返し起こってきた変化をみてとることができる．

現在は土産物となってしまった，石製装身具（図 10）も同様で，さまざまな歴史的背景が複雑に絡み合って，現在の姿となっている様子を垣間みることができる．

現在は観光地となっている壮大な歴史的建造物だけでなく，その脇でつくりつづ→

イラン高原方面との交流関係をテコにして発達した南アジア北西部の社会は、都市と文字を生み出してインダス文明を築きあげた。西南アジア文明世界の中で一つの核となり、独自の印章や文字をつくり出したのである。この高度に発達した都市文明は、前一九〇〇年頃に衰退する。文明社会の解体の要因とプロセスはいまだ明確になっていないが、最終的に都市は放棄され、文字は使われなくなる。しかし、文明社会を担った人々が絶滅したわけではなく、文明の時代に築かれた文化伝統が途絶えたわけでもない。文明社会の解体は、社会の流動性を高め、社会変容を引き起こす。

その一つは、人口の東方移動である。文明社会の中心であったインダス川流域では遺跡数が減少する一方、東のガッガル平原では文明衰退前後の時期に遺跡数が急増する。さらに、東のガンガー平原西半部でも開発が進むようになる。グジャラート地方からインド半島北西部でも状況は同じである。インダス文明の文化伝統はガンガー平原やインド半島方面へと拡散し、各地の非インダス系統の社会=文化と関係をもって新たな社会の仕組みと文化伝統を築いていく。

続く鉄器時代には、各地で地域社会が発達し、交流ネットワークを形成する。各地のネットワークは相互に接続し、より大きなネットワークの形成へと向かう。北インドのガンガー平原では、前一〇〇〇年頃から開発が著しく進み、前六〇〇年頃には都市が各地に出現す

図9　北インドの土器づくり

→けられる伝統工芸品に目を向けると，南アジア世界の歴史的特質を知ることができるだろう．

南アジアの多様性と統一性は歴史の中でかたちづくられてきた歴史事象なのである．

る。前四世紀末から前三世紀に南アジアに覇を唱えたマウリヤ朝は、このガンガー平原の都市社会の産物である。インド半島では、前一〇〇〇年頃から南インド巨石文化が広く展開し、各地の資源開発を進め、独自のネットワークを築いていく。この社会は北インド方面との交流関係を強め、西暦紀元前後の時期までにインド半島各地に都市を築くようになる。このように、鉄器時代から古代にかけての時代は、南アジア全域を結ぶネットワークがかたちづくられた時代である。その南アジア世界のネットワークは周辺地域にもつながっていく。

多様性と統一性は相反する特質ではなく、両輪となって南アジア世界の形成をもたらしたといえるだろう。モノあるいは物質文化の研究は、地域々々の社会と文化伝統の形成・変容過程だけでなく、地域社会=文化間の関係、その関係によって織りなされていく南アジア世界のダイナミズムの解明にも重要な鍵を提供してくれるのである。

［上杉彰紀］

図 10　グジャラートのビーズづくり

2

歴史にみるインドの多様性——古代から独立後まで

インドは多様性をもつ国であるといわれる。調査旅行の折に、そのことを筆者も強く感じた。二〇〇六年三月にインド東部のコルカタから入国して、調査地である西部のプネーにインドを横断する特急列車で向かった。コルカタのハウラー駅を金曜夜に出発しプネー駅には日曜朝に到着する三二時間の鉄道旅であった。インドでは地方によって言語が異なるが、東部で用いられるベンガル語[1]がわからない筆者にとって、車内の乗客の会話は理解できず、車窓からの景色も筆者が知る西部の景色とは大きく異なっていた。道中でさらに現地の言葉が変わったようであるがわからないまま、旅の終盤に西部のマラーティー語[2]が混じってきて筆者が理解できる世界が広がり、プネーに到着した。言語だけでなく途中駅での物売りが扱う食べ物や、途中乗車の人々の服装も多様であり、まるでヨーロッパの国際列車に乗ったかのようであった。本章は歴史からインドを考えていくが、植民地化以前、例えば約三〇〇年前のインドを想定すると、この列車のルートは複数の大国や中小国を通っており、国際列車という表現も間違いとはいえない。

1　ベンガル語はインド・アーリア諸語の一つで，コルカタを州都とする西ベンガル州の公用語であり，同州に隣接するバングラデシュの国語である．

2　マラーティー語はインド・アーリア諸語の一つで，プネーが位置するマハーラーシュトラ州の公用語である．

図１　インド特急寝台列車の車内

現在のインドには、かつて多くの国々が興亡し、インド自体がヨーロッパのような状況にあった。本章は、歴史上の国々を整理して概観することで、インドがもつ多様性の歴史的経緯を考えていきたい[3]。

まずはインドの地勢をみてみよう。現在のインドは、かつてユーラシア大陸とは異なる大陸にあり、約五〇〇〇万年前にユーラシア大陸に南から衝突し、大陸間の土地が隆起してヒマーラヤ山脈など山脈群が形成された。山脈群で隔てられた南側の地域（主に現在のインド、パキスタン、バングラデシュ）はインド亜大陸[4]とよばれ、歴史的にインド世界とみなされてきた。本章では最終節を除き、インド亜大陸をインドと表現する。ヒマーラヤ山脈を水源として、インド洋に流れるインダス川・ガンジス川などの大河が形成され、インダス川流域にはインダス文明（前二五〇〇～前一八〇〇年）が成立した。インド亜大陸中央にはヴィンディヤ山脈があり、その南に標高一〇〇～一〇〇〇mのデカン高原が広がる。地勢的・歴史的にヴィンディヤ山脈がインドを南北に分ける境界線であり、ここを越えてインド亜大陸の大部分を支配したのは、マウリヤ朝、トゥグルク朝、ムガル朝と英領インドなどに限られ、インド亜大陸は歴史的に多様な空間であった。

古代インド世界の形成

インド亜大陸は、ヒマーラヤなどの諸山脈に囲まれているが外部か

3　詳細については，下記の文献が参考になる．佐藤正哲他，1998『世界の歴史 14　ムガル帝国から英領インドへ』中央公論社．辛島昇他編，2007，2019『世界歴史大系　南アジア史 1-4』山川出版社．内藤雅雄・中村平治編，2006『南アジアの歴史　複合的社会の歴史と文化』有斐閣．

4　ヒマーラヤ山脈に位置するネパールやブータンもインド亜大陸に含められるが，両国の歴史に言及する紙幅がなく，本章では除外する．

ら隔絶されていたわけではない。現・パキスタン・アフガニスタン国境にあるハイバル峠は、アフガニスタンを経由してインド亜大陸と中央アジアを結ぶ主要なルート上にあり、インダス文明衰退後の前一五〇〇年頃には、遊牧民のアーリヤ人[5]がこの峠を通って、インドに侵入してきた。アーリヤ人は先住民を支配してインドに定住し、前一〇〇〇年頃にガンジス川上流域に移動した後、王国を建国した。以後、ガンジス川流域からインダス川流域にかけてさまざまな王国が興亡する時代を迎えた。この時代に、バラモンを頂点として、先住民（シュードラ）を支配する身分秩序のヴァルナ制[6]が成立し、王（クシャトリヤ）はバラモンに権威を与えられる存在であった。バラモンの教えを記す聖典の言語としてサンスクリット語が確立され、北インドで群雄割拠した諸王朝ではサンスクリット語が共通の公用語[7]となった。前六世紀頃にバラモン中心の身分秩序を否定するジャイナ教や仏教が誕生し、国力を強めてバラモンの秩序に挑戦する王国も現れた。マウリヤ朝もそうした王国の一つであり、前三世紀半ばにインドの大部分を影響下においたアショーカ王は仏教に帰依した。

マウリヤ朝の衰退後も諸国の群雄割拠が続いた。この時代にも中央アジアで活動した遊牧民族がハイバル峠を経由して西北インド（インダス川流域）に侵入した。二世紀にガンジス川流域にまで進出したクシャーナ朝[8]はシルクロードの要衝をおさえ、インドと中央ユーラシア

5　アーリヤ人は，アーリヤ（「部族のしきたりを身につけた」の意）を自称する集団で，中央アジアでイラン人と共通の集団を形成していた．北インドを中心にアーリヤ系の諸言語が誕生した．

6　身分制であるヴァルナ（「色」の意）制とカースト制は混同される傾向にあるが，後者は職業などにより細分化された集団を意味し，インドではジャーティとよばれ，ヴァルナとは異なる概念である（4章参照）．

7　本章では公用語を，国王からの命令書（勅書）などの公文書に書かれた言語と定義する．

8　遊牧民族である，イラン系のクシャーナ族が建国し，1～3世紀前半に存在した王朝である．最盛期（2世紀）の王であるカニシカは仏教を保護した．

とのヒト・モノの南北交流が活発になった。アーリヤ人の侵入後、先住のドラヴィダ人[9]は一部が吸収されながらも、その主力は南進して亜大陸の南端に到達した。前三世紀半ばにはマウリヤ朝に隣接する形で、亜大陸南端にドラヴィダ系の王国が存在した。一世紀頃にはドラヴィダ系のタミル語による古典文学の中に、これらの王国に関する記録が残されている。ヴィンディヤ山脈以南にはドラヴィダ系の諸王国が成立し、これらの王朝の時代にローマから東南アジアまでをつなぐインド洋交易によるユーラシアの東西交流が盛んになった[10]。

このようにヴィンディヤ山脈以南にドラヴィダ系諸国、北にアーリヤ系の諸国、そしてインド北西部を中心に中央アジアからの遊牧系諸国という異なる諸国群が衝突や交流を繰り返しながら並立していた。二〇〇〇年ほど前に、出自や言語が異なる多様な国々がすでにインドに存在していた。さらにユーラシア南北・東西の交流が、この関係に影響を与えていたことも注目すべき点である。商業の繁栄の中で都市を中心に仏教が栄え、仏教を庇護する国も少なくなかった。

古代インド世界の展開と地域性の誕生

北インドのアーリヤ諸国を統一したグプタ朝が六世紀半ばに崩壊すると、諸王国の関係も徐々に変化した。グプタ朝はその権威を高めるためにバラモンを庇護して、彼らに土地を寄進したためにバラモン主

9　ドラヴィダ人は，前3500年頃に中央アジアからインド亜大陸に移住した先住民で，インダス文明の担い手と推定される．彼らの地母神信仰は，アーリヤ以前の文化として現存している．南インドでは，ドラヴィダ系の諸言語が誕生した．

10　ローマ帝国下の1世紀後半に成立した地理書『エリュトゥラー海案内記』には，インドの港の様子など，インド・ローマ交易の実情が記録され，南インドではローマ金貨などが出土している．

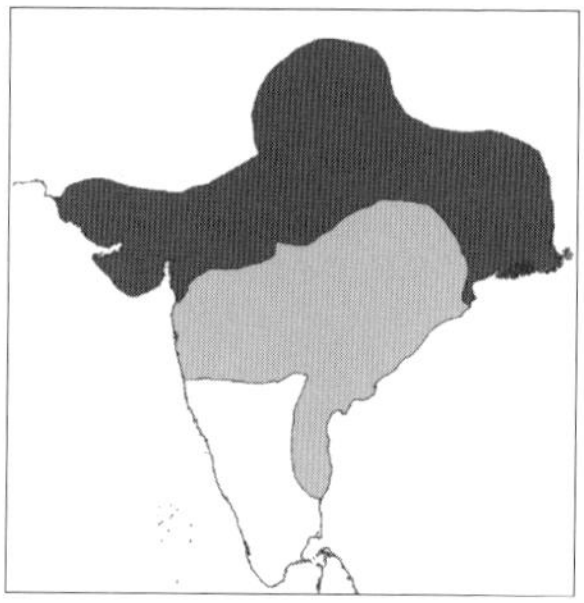

図2　グプタ朝の勢力範囲（5世紀頃）．濃色：グプタ朝の支配地域．薄色：グプタ朝と従属・友好地域

体の開発が進み、サンスクリット文学も栄えた。グプタ朝の滅亡後、再び北インドは分裂して、後継の諸王朝がグプタ朝に代わってバラモンを庇護した。さらにヴィンディヤ山脈以南のドラヴィダ系諸国もグプタ朝の先進文化を取り入れるため、バラモンを招聘し庇護することで、ヒンドゥー王権に転嫁しヴァルナ制を受け入れた。このように七〜一〇世紀にバラモン・サンスクリット文化が南進し、ヴィンディヤ山脈以南でもバラモン主体の農村開発が進みヒンドゥー教[11]が発展した。北インドを中心に、遊牧民族や在地の有力者などのさまざまな出自をもつ王がラージプート（「王子」の意）を名乗り、クシャトリヤの子孫を主張して建国した国々（ラージプート諸国）が出現し、互いに争いながら、自らの権威づけのために、ヴァルナ的社会秩序を維持しようとした。一〇世紀以降の都市の記録には、書記や商人などの職務や出身地が同じ集団（ジャーティ）が見出され、社会変化の兆候を確認できる[12]。

こうした変化の中で一〇世紀以降、冒頭のベンガル語やマラーティー語などアーリヤ系諸語の祖型が各地の記録に現れた。北インドの諸王朝では、引き続きサンスクリット語が公用語であったが、一一世紀以降、これら地方語の一部も勅書に用いられるようになった。他方で南インド諸王国では、六〜七世紀にタミル語などの地方語でも勅書が記された。七〜一〇世紀にヒンドゥー教・サンスクリット文化が

11　ヒンドゥー教は，ヴァルナ秩序を否定する仏教やジャイナ教に対抗するために，バラモンの教えが土着の民間信仰を信仰体系に取り込んだ宗教・文化の複合体で，長い期間をかけて成立しており，成立年代は特定できない．

12　この時期の農村記録が得られないために，農村での職業集団の様子は不明であるが，都市の記録でもジャーティの存在は全職業については確認できず，インド社会における新たな変化は，この段階ではきわめて限定的であったと考えられる．

亜大陸に広がりながらも，各地の勢力のもとで独自の文化が育まれた。地方文化を特徴づけるものとして地方語が生まれたことは，インドの多様性を考える上できわめて重要である。

ムスリム侵入後のインド地域性の成長

温暖化などを背景に西暦一〇〇〇年頃からテュルク系[13]・モンゴル系の遊牧民の活動が活発になり，定着農耕地域への進出がさかんになって，一三世紀にはモンゴル帝国が成立した。この動きの中で，一一世紀以降にテュルク系の遊牧勢力（ガズナ朝・ゴール朝）がハイバル峠を経由してインドに侵入して北インドの諸勢力と争い，略奪を繰り返した。さらに一三世紀初頭から一六世紀初頭にかけてテュルク系またはアフガン系の五王国（デリー・スルターン朝[14]）が，デリーを中心に北インドを支配した。これらのイスラーム諸王朝の台頭はユーラシア南北交流史の中に位置づけられるが，イスラーム文化という新たな要素をインドにもたらした点で，それ以前の遊牧勢力とは異なる歴史的な意味をもつ。ヴィンディヤ山脈以北の北インドの状況が大きく変わった頃に，同山脈以南ではマラーティー語圏のヤーダヴァ朝など，地方言語圏にゆるやかに対応するヒンドゥー王朝が台頭した。

デリー・スルターン朝のハルジー朝とトゥグルク朝は南インドに遠征し，トゥグルク朝は一四世紀の前半に一時的にインド亜大陸の大部

13　テュルク系とは，トルコ語やウズベク語を含む共通言語系統を使用する民族集団で，シベリアからトルコ共和国（小アジア半島）に至るまでユーラシアの広範囲に分布する．

14　デリーを都とした五つの王朝で，最初の3王朝（奴隷王朝，ハルジー朝，トゥグルク朝）の君主はテゥルク系で，サイイド朝の君主は厳密には不明，ロディー朝の君主はアフガン系であった．

分を支配した。同王朝の衰退に伴って各地で新たな政権が台頭し、ヴィンディヤ山脈以南にもイスラームの地方王朝が成立してイスラーム勢力は拡大した。西方のイスラーム世界の中で、主に東アフリカ、アラビア半島、イランからインドにきたムスリムが、イスラーム政権を支えた。インドのイスラーム化においてもユーラシア南北・東西の交流が重要な役割を果たしていた。

一四世紀後半以降はヒンドゥーやムスリムの王が支配する地方政権が乱立して互いに争ったが、宗教は対立の軸ではなかった。イスラーム王朝下で、インドの人々は組織的にイスラームに強制改宗させられたわけではなく、大衆の間でのヒンドゥーとムスリムの交流の中でイスラームが広まった。[15] インド生まれの改宗ムスリムも、各地のイスラーム政権を支えた。インドのイスラーム王朝ではペルシア語が公用語となったが、ベンガル地方のイスラーム王朝でベンガル語が広く用いられたように、地方語も各地に浸透しつつあった。この王朝は在来産業の養蚕やベンガル文化を奨励した。[16] アラビア海に面するグジャラート地方のイスラーム王朝は、地の利を活かしてエジプトと交易を行うなど、各地方の特徴が活かされていた。ヒンドゥー王朝では、地方語が公用語となっていった。ラージャスターン地方に前述のラージプート諸国が割拠し、南インドではヴィジャヤナガル王国が領土を拡大して、デカンのイスラーム王朝と勢力争いを繰り広げた。一四世紀

15　山根聡，2011『4億人の少数派－南アジアのイスラーム』山川出版社，pp.11-18.

16　Richard, M. Eaton,2019, *India in the Persianate Age 1000-1765*, Allen Lane, pp.111-138.

図３　ヴィジャヤナガル王国の都ヴィジャヤナガル（現・ハンピ）のヒンドゥー寺院

後半以降の政治権力の分権化の中で、宗教・言語が多様化し、各地方のアイデンティティの萌芽がみられた。

ムガル帝国の成立と地域の統合・再編

中央アジアから来たティムール朝[17]王家のバーブルがデリー・スルターン朝のロディー朝を破り、一五二六年にムガル朝を建国した。その後、アクバル（在位一五五六～一六〇五年）の時代にベンガルやグジャラートを征服して北インドを統一し、アウラングゼーブ（在位一六五八～一七〇七年）はデカン地方の諸王朝を滅ぼして、南端部を除くインド亜大陸の大部分を支配した。ムガル帝国は幹線道路を整備して帝国内外の産業と主要港、主要都市を結びつけ、インド亜大陸に巨大な経済圏が形成された。綿布や香辛料などのインド産品は、インド洋交易を通じて世界に輸出された。この時代のインド洋交易には、香辛料を求めて一四九八年にインドに到達したポルトガル勢力が加わり、一七世紀初頭に英国およびオランダ東インド会社が参入した。このようにしてインド洋交易が拡大し、多くの金銀がインドに集積して、インドの商業化・貨幣化が進んだ。ムガル帝国領の各州におかれた州都も繁栄し、州都の中には今日まで続く地方都市も多い。

ムガル帝国でもペルシア語が公用語であったが、少なくとも一六世紀後半からはカーヤスタなどのヒンドゥーの書記がペルシア語文書行

図 4　17 世紀インドの主要交易ルート（Schwartzberg, J. E. ed., 1978, *A Historical Atlas of South Asia*, University of Chicago Press, pp.45, 50; Chaudhuri, K. N., 1978, *The Trading World of Asia and the English East India Company, 1660-1760*, Cambridge University Press, p.48; Irfan Habib, 1982, *An Atlas of the Mughal Empire*, Oxford University Press をもとに加筆）

17　ティムール朝（1370 ～ 1507 年）は中央アジア，イラン，アフガニスタンを支配したテュルク系イスラーム王朝で，ウズベク族に滅ぼされた．バーブルは再興を目指すが，最終的に諦めてインドへ向かった．間野英二，2013『バーブル　ムガル帝国の創設者』山川出版社．

政に関わるようになった。地方統治では、地方語担当の書記官がペルシア語担当の書記官とともに任命され、重層的に複数言語が公文書で用いられた。同時代のほかのイスラーム王朝でも、地方統治においてペルシア語のみでなくマラーティー語などの地方語が用いられた。この時期に、ペルシア語を公用語としながらも、地方語を組み込んだ文書行政が形成された。[18] ムガル帝国も前代のイスラーム王朝に引き続き、アクバルを筆頭にヒンドゥーとムスリムの宥和政策を取った。アウラングゼーブが非ムスリムへの人頭税を課して宗教対立を招いたが、この再課税の意味は研究者の間で捉え方が異なり、ムガル帝国が強権的なイスラーム国家となったと短絡的に結論付けられない。

アウラングゼーブの遠征で軍事費は増大して帝国財政は悪化し、彼の死（一七〇七年）後、帝国は崩壊した。その結果、ベンガルやデカン東部（ハイダラーバード）などムガル帝国の複数の州で、州の太守（ナワーブ）が事実上の独立を果たして各地にイスラーム政権を建てた。他方で、南西部のマラーター王国やマイソール王国のように新たな勢力が台頭し、ムガル帝国支配下の、北インドのラージプート諸国も自立して、再び各地に王朝が乱立した。これらの地方政権は、ムガル帝国を完全には打倒せず、名目的ではあれ、ムガル皇帝の宗主権を認めており、ムガル帝国の継承国家とよばれる。ムガル帝国以前と同様にヒンドゥー王朝やイスラーム王朝が各地に並立し、西北インド[19]

18　ムガル帝国下ではペルシア語文学のみならず，建築や絵画においてもイスラーム文化が花開いた．タージ・マハルは，この時期のイスラーム建築の傑作である（6章図1）．

19　ヒンドゥー教とイスラームが融合して15世紀末に成立したシク教は，16世紀後半に教団の拠点を西北インドに置き，活動を本格化させていた．

（パンジャーブ）ではシク勢力が新たに拠点を形成した。

多くの継承国家で、ムガル帝国の文書行政システムが受け継がれ、ペルシア語と地方語が統治機構の中で併用された。公文書が基本的に地方語で作成されたマラーター王国（マラーティー語文書）やラージプート諸国（ラージャスターニー語文書）を筆頭に、文書行政における地方語の重要度は一八世紀にさらに高まった。ただしこれらの王国でもペルシア語の要約が付されたバイリンガル文書が作成されたり、[20]地方語の文書にペルシア語の国王印が押されたりと、特に権威付けという文脈でペルシア語の影響力は健在であり、継承国家間での共通言語はペルシア語であった。さらに継承国家内ではその中心都市と常設市をもつ町（カスバ）や種々の市場が結びつけられて地方経済が活発になり、ムガル帝国の衰退はインドの衰退とはならずに地方が繁栄した。[21]継承国家では在地の有力者や商人らに税徴収を請け負わせ、商業化の進展の中で商人・金融業者がその財政執行に関わった。中心都市は地方の政治・経済・文化の中心として栄え、多くが現在の州都となっている。新たな地方都市を中心に、現代につながる各地の多様なアイデンティティが形成された。これが冒頭に示した、インド国内の「国際性」であり、一八世紀には現在の州にその領域が概ね重なる継承国家を中心に多数の中小国が存在した（図5）。

20　真下裕之，2009「南アジア史におけるペルシア語文化の諸相」森本一夫編『ペルシア語が結んだ世界―もうひとつのユーラシア史』北海道大学出版会，pp.211-213.

21　P. J. Marshall, ed., 2003, *The Eighteenth Century in Indian History Evolution or Revolution?*, Oxford University Press,pp. 1-49.

図5　18世紀半ばのインドの国境［ビパン・チャンドラ，2001『近代インドの歴史』粟屋利江訳，山川出版社，p.5（アジア大陸歴史地図参照）をもとに作成］

英国による植民地支配――「国際性」から地域的多様性へ

一七五七年のプラッシーの戦い以後に英東インド会社の勢力拡大が本格化するが、その植民地支配の根拠は、ムガル皇帝から与えられたベンガルなど東インドの財務大臣（ディーワーン：徴税、財政、民事・財政裁判を司る役職）の職権であり、建前としてはムガル皇帝の宗主権のもとで植民地支配が始まった[22]。一八世紀においては徴税請負制を用いるなど、同時代のインド勢力と共通点も多く、英東インド会社も継承国家の一つと捉えられる。英東インド会社は東のベンガル管区、西のボンベイ管区、南のマドラス管区から成ったが、互いの関係も当初は決まっていなかった。一八三〇年代にカルカッタ（現・コルカタ）のインド総督を中心に三管区は統合され、この頃までに継承国家や中小国は滅ぼされて英領（直轄地）に組み入れられるか、英国と同盟[23]を結んでその宗主権を認めて保護国（藩王国）となった。デカン東部を支配した継承国家であったハイダラーバード藩王国など大勢力を筆頭にさまざまな藩王国が点在した。一八五七年のインド大反乱の後にムガル皇帝が廃位され、英国はインド亜大陸全土を支配する唯一の存在となったが、藩王国は英国に干渉されつつも内政権を保つ半独立勢力であった。直接統治に限るならばインド亜大陸を統一した勢力は歴史上、一つも存在しないこととなる（図6）。

英領直轄地において管区（後に州）・県などの行政区分が制度化さ

22　英東インド会社は，1765年に北インドのナワーブ政権とムガル帝国の連合軍に勝利して，東インドの財務大臣の職権を得ており，軍事力ではムガル帝国に勝っていたといえる．

23　英国は藩王国の外交権をはく奪し，多くの場合，藩王国の費用負担で，その領内に英国軍を駐屯させて，その軍事力を削いだ．

図6　英領インド全図（19世紀半ば）濃色：英領直轄地，白地：藩王国［辛島昇編，2004『南アジア史』山川出版社，p.293をもとに作成］

れ、英領植民地として国家の枠組みが整うと、一八世紀の「国際性」が示した多様性は、英領インド内の地方性として立ち現れてくることとなった。特に直轄地では、ペルシア語に代わって英語が共通の公用語となり、英語教育や西洋思想の影響を強く受けた新たなインド人エリートが一九世紀後半に台頭した。彼らは、西洋モデルを意識しながら、自らの言語や文学の改革・復興を主張し、出版物の普及が彼らの主張を広めた。このような文脈で、特に言語に基づくアイデンティティが強まると[24]、インド人エリートが徐々に参加を始めた政治活動と結びつき[25]、同一の言語が話される地域のみで構成される「言語州」による行政域再編を求める動きが現れた。他方で藩王国は一八世紀の継承国家や中小国が植民地支配下で存続した勢力であり、その領域は言語州構想とは異なる歴史的経過の中で形成されていた。こうした違いも、一つのルールでは説明しきれないインドの多様性を示している。

言語州要求運動は、インド人エリートが、自治拡大を求めて主導した民族運動とともに、各地で展開されたが、藩王国が除外される場合があったり、直轄地内でも地方により運動の高まりや組織化に差があったりと、全インド的な動きにならなかった[26]。むしろ一九三〇年代以降にインドが独立に向けて始動する頃には、ヒンドゥー・ムスリムの対立から宗教に基づくアイデンティティが目立ってきた[27]。一九四七年に英連邦内の自治領として、ヒンドゥーが多く住む地域のインドと

24 国民のアイデンティティとして言語を重視する「言語ナショナリズム」が地方語で展開したことは，前植民地期の「国際性」が，インド人の意識の上で残っていたと考えることができる.

25 英国は，行政・財政の負担を軽減するため，そしてインド人エリートを支配機構に取り込むため，地方での部分的な自治が進められ，19 世紀後半にはインド人にも条件付きで選挙権が付与された.

26 井坂理穂，2011「インドにおける州再編問題　ボンベイ州の分割過程」アジア・アフリカ言語文化研究 81，pp.74–78.

27 インド人の民族運動に対抗するため，英国は少数派の保護を名目にムスリムへの分離選挙区を設置するなどの分割統治を行い，ヒンドゥーとムスリムの対立を煽った．政治的対立が社会的・思想的対立と合わさり，暴力行為に及ぶほどに両者の対立は 1930 年代頃には深まっていた.

ムスリムが多く住む地域のパキスタンが分離独立した。さらに一九七一年にベンガル語地域の東パキスタンがバングラデシュ（ベンガル語で「ベンガルの国」の意）としてパキスタンから独立した。インド亜大陸は、現代においても統一されることはなかったのである。言語や宗教といった複合的な要素が国家の成立に影響を及ぼしたが、宗教に基づくアイデンティティが国家・社会の対立軸となってしまったことは、現代の多様性の無視できない特徴である。

独立後のインドにおける多様性——変動する地域性

本節では、本書の対象である今日のインドに注目しよう。インド亜大陸内のヒンドゥー・シク教徒がインドへ、ムスリムがパキスタンへ追い立てられて約一五〇〇万人が移動し、その際のヒンドゥー・ムスリムの衝突で少なくとも数十万人の犠牲を出しながら、インドというヒンドゥー多住国家が形成された。独立時の領域には、多数の藩王国が残存していた。インド政府は中小の藩王国から交渉を開始し、藩王への年金や特権の付与を約束して内政権を譲らせ、インドに統合した。他方で最大藩王国の一つである、デカン東部のハイダラーバード藩王国を武力で併合するなど強硬手段も取った。自治領から独立共和国に移行した一九五〇年までには領内の藩王国は統合され[28]、領域内の半独立勢力を認めない統一国家としてのインド共和国が成立した[29]。

28　インドとパキスタンの間に位置し，藩王がヒンドゥーで住民がムスリムのカシュミール藩王国の帰属をめぐって1947年に印パ戦争が起こり，停戦して暫定の国境線が定められたものの，国境の完全合意には至っていない．

29　ポルトガル領のゴア，フランス領のポンディシェリなど非英国の植民地は，1950年時点でもインド共和国の領域外に存在した．

独立インドは英領インドの制度を受け継ぎ、各州に自治権が付与された連邦制を取ったが、連邦制は、さまざまな勢力が台頭したインドの歴史的多様性によく合っていた。一九五〇年代には言語州要求運動が再燃し、英領インド州・藩王国の旧領域は言語州に基づいて再編された。地方語は各州の公用語として、国語の英語・ヒンディー語と併用され、独立インドでも複数言語が重層的に用いられた。現在のインドの州域は、言語州再編に基づいているが、その後も不変であったわけではない。このことを示す好例といえる近年のテーランガーナ州の成立をみてみよう。マドラス州[30]のテルグ語地域の分離要求運動が過激化し、一九五三年にアーンドラ州が成立し、さらにハイダラーバード藩王国のテルグ語地域を合わせてアーンドラ・プラデーシュ（AP）州が一九五六年に誕生した。しかし二〇一四年には同州の旧藩王国地域がテーランガーナ州として分離した。AP州とテーランガーナ州の境は植民地期のマドラス州と同藩王国の境に基づいており、二〇一四年以降のAP州の領域は、かつてのアーンドラ州と同一である。他方でハイダラーバード藩王国のカンナダ語地域はカルナータカ州に、マラーティー語地域はマハーラーシュトラ州に属しており、二〇一四年の分離は旧藩王国領の復帰ではなく、新たな領域の誕生を意味した。

現在の州域の多くを規定している種々の言語は一〇〇〇年以上にわたって、インドに興亡した国々、そしてその地域性を代表してきた重

30　植民地期のマドラス管区（州）は，独立時に大きな領域の変更なく，マドラス州として存続した．

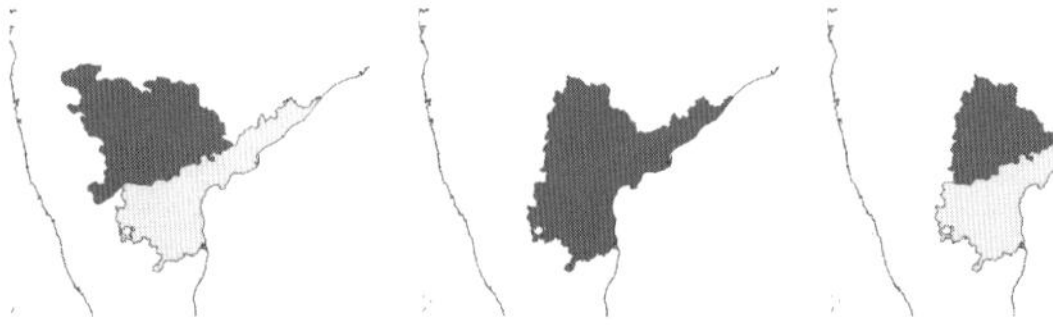

図7　ハイダラーバード藩王国からテーランガーナ州に至る領域の変遷3地図．左より①ハイダラーバード藩王国・ハイダラーバード州（上領域は1860～1956年）とアーンドラ州（1953～56年），②アーンドラ・プラデーシュ州（1956～2014年），③テランガナ州とアーンドラ州（2014年～現在）

要な要素の一つである。さらにインドの諸言語が外来語を含めて複合的に用いられることで、地方アイデンティティのみでなく、インド亜大陸規模の広域なまとまりが形成されたことを、歴史を概観する中でみて取ることができる。ユーラシア南北・東西交流で得られたモノ、思想、環境、宗教、王朝の記憶などの多要素が地方アイデンティティを支えており、言語州再編後の領域変化は、インドの多様性が今も尚、インドを変化させ、その歴史を突き動かしていることを示している。

［小川道大］

3 インドの民族と言語の多様性

ひと昔まで「インド」といえば、カースト制度、象、ターバンを巻いた蛇使い、カレー、といったステレオタイプのイメージが強かった。しかし、近年、日本とインドの交流の深化に伴う多くの人々の往来、また、情報通信技術の発達により情報が入手しやすくなったことも相まって、インドは多宗教、多民族、多言語といった多様性に富んだ巨大なモザイク国家であるというイメージが定着しつつある。インドにはアフリカの人たちに似た肌の色の人々、ヨーロッパの人々に似た肌の色の人々、さらに、日本人と見分けがつかない肌の色と顔の形をした人々が住んでいること、また、インドの紙幣に代表されるように、多くの言語が使用されていることもよく知られるようになってきている。しかし、この多様性が長年にわたるさまざまな民族・文化・言語の接触・交流・融合の産物であることはあまり知られていない。この章では、考古学、言語学および近年急速な進化を遂げている遺伝子学の最新の研究成果に基づいて、インドの言語の多様性の背後にあるさまざまな民族・文化・言語の接触・混合の歴史に光をあてる。まず、インド[1]の民族と言語の多様性の現状を確認・概観しておこう。

図１　多文字社会のインド（道路標識）（鈴木真弥提供）

図２　インドの紙幣．複数種の文字が書かれる

インドの民族と言語の多様性——現状

本題に入る前に「民族」という用語の意味を確認しておこう。[2] インドのさまざまな民族は、それぞれの母語とする言語を基準に分類される。二〇一一年のインド国勢調査においてインド共和国の一万九五六九の言語・方言が申告されたが、これを言語学的な観点から整理し、インドでは現在、一三六九の「合理化・整理された母語」および一四七四の「その他・非母語」の合計二八四三言語・方言が認定されている。話者数一万人以上とされたこの一三六九の「合理化・整理された母語」はさらに精査され、一二一言語にまとめあげられている。国勢調査で認定されたこの合理化・整理された一二一言語のうち、二二の言語がインド憲法の本文ではない、第八付則（eighth schedule）に記載されている。この二二言語は、「指定言語（scheduled languages）」とよばれ、母語人口は合わせて全人口の九六・七一%を占める。その他の九九言語は、合計で全人口の三・二九%となる。

言語学では、これらの言語・方言を①インド・ヨーロッパ語族、②ドラヴィダ語族、③オーストロアジア語族、④シナ・チベット語族、⑤タイ・カダイ語族に分類している。

全人口に占める各語族の割合をみると、インド・ヨーロッパ語族（インド・アーリア語派）は圧倒的に多く七八・〇七%、続くドラヴィダ語族は一九・六四%、オーストロアジア語族一・一%、シナ・チベッ

1 インドについては，1947年に英国の支配から独立した時点でパキスタンと分離し，時代が少し下って，71年にバングラデシュがパキスタンから独立することになり，47年以前の「インド」の国民が三つの国家に引き裂かれて生活することになった経緯がある．本来「インドの民族」という用語は先の『広辞苑』の規定に従えば，インドだけでなく，パキスタン，バングラデシュに在住する人々をも含むべきだが，本章ではその範囲をインド共和国に在住する人々に限定する．

2 例えば，日本の代表的国語辞典の一つ『広辞苑』は，「民族」を以下のように説明している．「文化や出自を共有することからくる親近感を核にして歴史的に形成された，共通の帰属意識をもつ人々の集団．特に言語を共有することが重視され，宗教や生業形態が民族的な伝統となることも多い．国民国家の成立によって，明確な境界をもち，固定的なものとされたが，もともとは重複や変更が可能で，一定の地域内に住むとは限らず，複数の民族が共存する社会も多い．また，人種・国の範囲とも必ずしも一致しない」．

ト語族一・〇％となっている（統計は国勢調査二〇一一によるもの）。

この驚くべき民族と言語の多様性はどのように誕生したのか、近年、その形成過程が、日進月歩で進む遺伝子学の研究成果によって明らかになりつつあり、それを紹介することが本章の目的となる。以下、言語学、民俗学、遺伝子学の最新の研究成果を紹介しつつ、インドの民族と言語の多様性の形成過程を紐解いていこう。

インドの民族と言語の多様性――その形成過程

インドの民族・言語の多様性は我々ホモ・サピエンスの移動の歴史と深く関わっている。[3] 考古学、言語学、遺伝学の研究によって支持されているヒトの誕生と移動に関する有力な仮説は、「出アフリカ説」または「アフリカ単一起源説」である。この仮説によると、二〇万年前から一〇万年前にかけてアフリカで非現生人類のホモ・サピエンスは現生人類へ進化した。その後、六万年前にアフリカから外へ移住し始め、ユーラシア大陸各地のネアンデルタール人やホモ・エレクトゥスと置き換わっていった。この移動の起点は南西アフリカのナミビアとアンゴラの沿岸境界近くとされている。アフリカ東端部、いわゆるアフリカの角からアフリカを出たホモ・サピエンスはアラビア半島沿岸部を伝って現在のイラン付近に至り、そこから、①インド、東南アジア、オセアニア方面に向かう「南ルート」（オーストラロイド集団）、

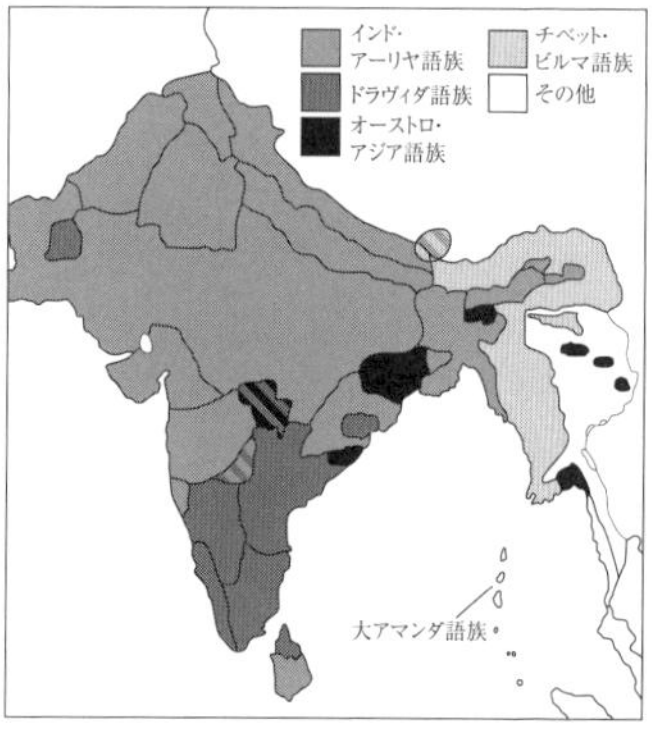

図3　インドで話されている言語の多様性．五つの語族の分布

②中央アジアを経由してアルタイ山脈、東アジア、北アジア方面に向かう「北ルート」（モンゴロイド集団）、と③中東、ヨーロッパに向かう「西ルート」（コーカソイド集団）の三方向に分かれて拡散したとされている。アフリカに残ったのはネグロイド集団である。現生人類が誕生したのは一〇万年前だが、その人類が発明した文字の誕生はわずか五〇〇〇年前のことである。そのため、文字が使用される以前の人類の歴史を知る有力な手掛かりは、人類が残した数々のモノや、人類自身の遺骨などから抽出できる遺伝子となる。ヒトの移動に伴う民族および言語の接触と混合が、インドの民族・言語の多様性を理解する鍵となる。

アフリカを出たヒトは約六万五〇〇〇年前にインドに到着し、アンダマン諸島先住民であるオンゲ族（現時点で約一〇〇名）がその末裔であることは遺伝子の研究で明らかになっている。それ以降、さまざまな方向からヒトが移り住み、婚姻などを通じて交じり合い、現在の多民族・多言語社会が誕生している。その代表的な事例として、①インド・ヨーロッパ語族に属するサンスクリット語、および②ヒンディー語、③ドラヴィダ語族に属するマラヤーラム語および④オーストロアジア語族に族するムンダーリー語を取りあげる。

3　近年，考古学，言語学，遺伝子学の知見を総動員して人類の移動の歴史を解明する研究が脚光を浴びている．

諸言語の最古層、サンスクリット語

サンスクリット語は南アジアの北部から中部に分布するインド・アーリア語族の諸言語の最古層とされ、それを話すアーリア人が前一〇〇〇年頃から前五〇〇年頃にかけて、インドで「ヴェーダ」(『リグ・ヴェーダ』『サーマ・ヴェーダ』『ヤジュル・ヴェーダ』『アタルヴァ・ヴェーダ』)を編纂した。サンスクリット語で書かれたこの一連の文献は、人類史上最も古い文献の一つとして知られるが、中でも『リグ・ヴェーダ』が最も古く、そこではほかのインド・ヨーロッパ諸語にはない、舌尖と歯茎の一番盛りあがった部分より少し後ろの部分によって調音される「そり舌」とよばれる種類の音(ṭ, ṭh, ḍ, ḍh, ṇ, ṣ)が確認される。この種類の音は現在、アッサム語、北東インドで話されている一部の少数民族の言語、ラダック、北ネパールで話されている言語を除くインド亜大陸のほぼすべての言語で確認される。興味深いことに、約六万五〇〇〇年前のアフリカからのヒトの最初の移動の際にインドに移動してきた人々が話すアンダマン諸語にもそり舌音が確認されている。アフガニスタンの南部からパキスタンの北部にかけて話されているパシュトゥー語やパキスタン・イスラム共和国北西部ギルギット・バローチスターン州のフンザ=ナガル県の孤立言語として知られるブルシャスキー語もそり舌音を有する。ほかの多くのインド・ヨーロッパ諸語にはないこのそり舌音がサンスクリット語に

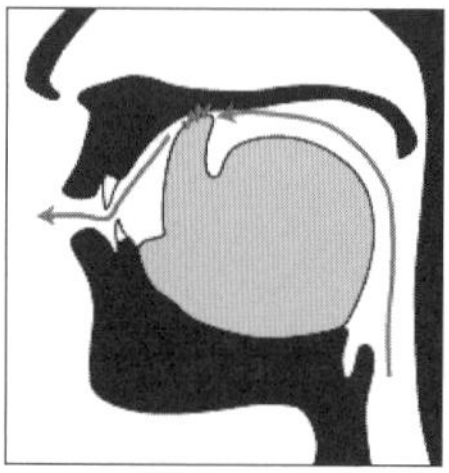

図4　歯音：そり舌音：ṭ, ṭh ḍ, ḍh, ṇ, ṣ

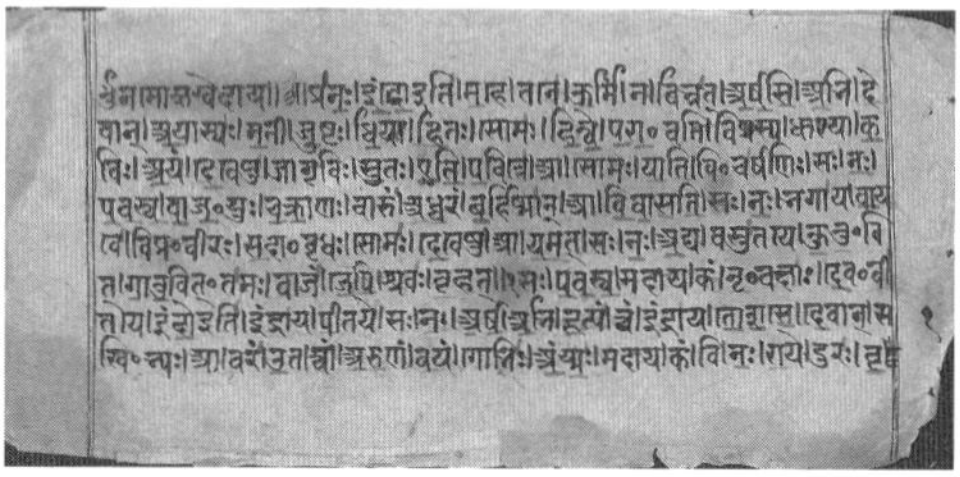

図5　『リグ・ヴェーダ』の一部（Bhandarkar Oriental Research Institute 提供）

どこからやってきたのかは興味深い問題である。

前二三〇〇～前一八〇〇年の間、インド亜大陸に青銅器文明であるインダス文明が栄えた。前二〇〇〇年頃、中央アジアの草原地帯で遊牧生活を営んでいたインド・ヨーロッパ語族のサンスクリット語を話すアーリア人の一部が馬で大移動を始め、南下してアフガニスタンに入り、前一五〇〇年頃、ヒンドゥークシュ山脈にあるハイバル峠を越えて、パンジャーブ地方に移動し、先住農民を征服し、農耕・牧畜生活を営み始めたという説がある。興味深いことにインダス文明遺跡の発掘調査では馬と断定できる骨は出土されていない。この考古学的な証拠はアーリア人がインド亜大陸に馬で移動してきたという説を支持するものである。インド諸語の著名な研究者であるエメノー（Emaneau, 1954）は、アーリア人のインド亜大陸で生まれた末裔たちがそり舌音をサンスクリット語にもたらしたと推測している。また、サンスクリット語の著名な研究者であるミシガン大学名誉教授デシュパンデ（Deshpande, 1979）は、『リグ・ヴェーダ』のサンスクリット語におけるそり舌音が、インド亜大陸で生まれたアーリア人の末裔たちの長年（約七〇〇年）にわたるヴェーダの口頭伝承の過程で、まず、話し言葉で取り入れられ、定着し、後に、編纂された『リグ・ヴェーダ』で書き言葉に記録され、今に伝わったと主張している。

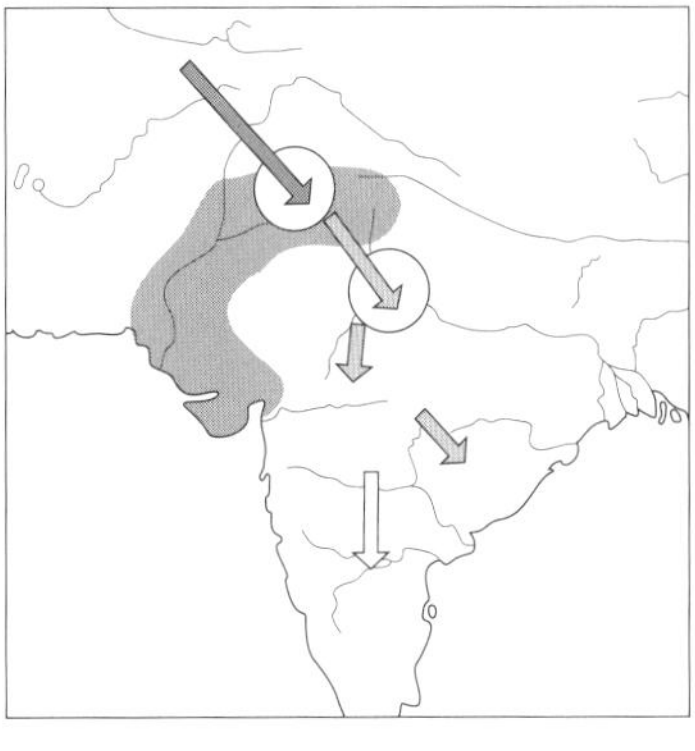

図6　インダス文明とアーリヤ人の進出．濃い矢印は前1500年頃のアーリヤ人の進出，薄い矢印は前1000年頃のアーリヤ人の進出，白い矢印はドラヴィダ人の移動を示す．白い丸は進出した地域，網掛けの地域はインダス文明の遺跡分布地域

これらの言語学的な研究は、アーリア人男性がインド亜大陸でドラヴィダ語を話す女性たちと交配し、アーリア語を話す父とドラヴィダ語を話す母をもつバイリンガルである末裔がこの言語変化をもたらしたと仮定している。[4]

さらに Kumar et al.（2008）および Silve et al.（2017）の遺伝子学的研究を考え合わせると、アーリア語を話す男性集団がインド亜大陸に流入し、亜大陸のドラヴィダ語を話す女性と結婚し、その子孫として生まれたバイリンガルである子供たちがサンスクリット語にそり舌音をもたらしたという説が頷けるものとなる。[5]

インド最大言語、ヒンディー語

次に、インド・ヨーロッパ諸語インド・アーリア語派の最大言語であるヒンディー語（母語話者数約五億人）について考えてみよう。インド・アーリア語派の諸言語はサンスクリット語を母とする姉妹たちであるといえる。サンスクリット語が次第に変化し、俗語的な言語プラークリット（中期インド・アーリア語、概ね一〇世紀以前）、新インド・アーリア語（概ね一〇世紀以降）を経て現在に至っているが、この長い旅の途中で、アーリア民族は、一〇世紀末から北インドに侵入したアフガニスタンのトルコ系のガズナ朝とイラン系のゴール朝、さらに奴隷王朝に支配されることになった。

4　近年の遺伝子学的な成果はこの仮説を支持する．母から娘へと母系で遺伝するミトコンドリア DNA（mtDNA）と父から息子へと父系で遺伝する Y 染色体が重要なカギとなる．

5　Kumar et al.（2008）（章末文献参照）は南アジアのミトコンドリア DNA（mtDNA）に基づく研究を行い，この研究によると過去約 1 万 2000 年間，インドの遺伝子プール（互いに繁殖可能な個体からなる集団）は変わってない．つまり，過去約 1 万 2000 年間，インド亜大陸に異なる遺伝子プールをもつ集団の移動はなかったということになる．一方，Silva, M., et al., 2017, “A genetic chronology for the Indian Subcontinent points to heavily sex-biased dispersals”,BMC Evol Biol 17（88）（https://doi.org/10.1186/s12862-017-0936-9）は，父から息子へと父系で遺伝する Y 染色体に基づく研究であり，この研究は青銅器時代（インダス文明が衰退した直後，前 1500 年頃）の中央ユーラシア西北部から東ヨーロッパ南部までのステップ地帯ポントス・カスピ海草原からの男性集団のインド亜大陸への流入・移動を示唆している．アーリア人がインド亜大陸から→

時代が下って、一五二六年に現在のウズベキスタンのフェルガナ地方出身の戦士バーブルが、デリー・スルターン朝のイブラーヒーム・ローディーを破り、インド北部がムガル帝国の支配下に置かれた。このムガル帝国の時代に、宮廷の言語であったペルシア語が支配的になり、ペルシア語およびペルシア語に取り入れられたアラビア語の語彙を現地語に大量に導入したヒンドゥスターニー語が誕生した。これは異民族の移動による民族の混合が新たな言語の成立につながった事例である。

インド・パキスタン独立後の動き

一九四七年のインド・パキスタン分離独立後、インドではペルシア語・アラビア語由来の語彙がサンスクリット語の対応語に置き換えられる、いわゆる「サンスクリット化」が進められ、デーヴァナーガリー文字で書かれるヒンディー語が、インドの唯一の公用語となっている。一方、パキスタンでは、ヒンドゥスターニー語にペルシア語・アラビア語由来の語彙がさらに追加されて成立したウルドゥー語が公用語となり、アラビア・ペルシア文字で書かれている。しかし、口語においては、インドとパキスタンの大多数の国民が、ヒンディー語・ウルドゥー語が混合したものを話すので、互いの意思疎通に支障は来さず、ムンバイーでつくられたボリウッド映画やパキスタンで製作されたテ

→西側に広がっていったとする「Out of India 説」もあるが，著者はその信ぴょう性に疑問をもっている．

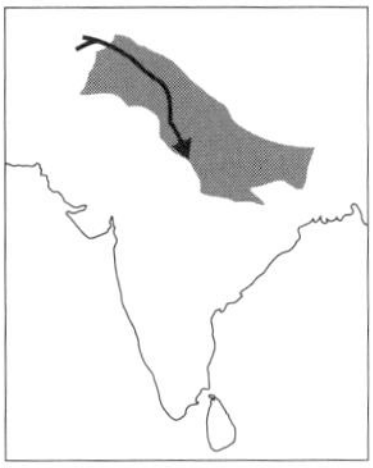

図7　1526年のバーブルの侵攻ルートとイブラーヒーム・ローディーがもっていたおおよその支配地域

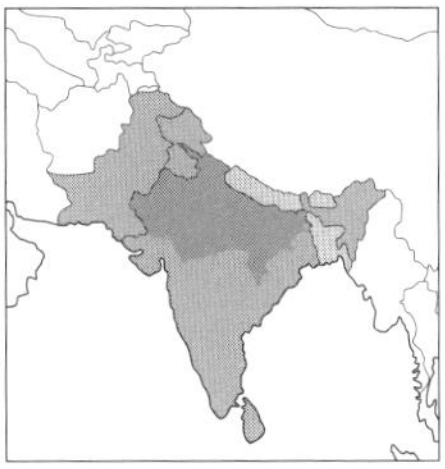

図8　南アジアにおけるヒンドゥスターニー語使用地域図．濃い灰色が母語話者地域，灰色が公用語地域，薄い灰色が第二言語としての話者が多い地域

レビのドラマが国境の両側で茶の間の人気を博している。インド・アーリア語派の諸言語で制作された映画やテレビドラマなどを通じてペルシア語やアラビア語の語彙はドラヴィダ諸語にも伝播された。

ドラヴィダ語族のマラヤーラム語と異民族交流・融合の歴史

次に、インドの最南端ケーララ州の公用語であるドラヴィダ語族に属するマラヤーラム語を取りあげる。マラヤーラム語にはサンスクリット語から多くの語彙の借用がなされている。この借用の背後にある異なる民族の交流・融合の歴史をみてみよう。

ドラヴィダ語族に属するマラヤーラム語にはサンスクリット語から借用された名詞や動詞などの語彙が多く使われる。この語彙の借用はいかにして可能となったのだろうか。諸説あるが、有力な説の一つは、法事を司るナンブーディリバラモンが現地の王の招きで北インドからケーララに移り住んだということである。ナンブーディリバラモンはサンスクリット語の母語話者ではなかったが、サンスクリット語を熟知し、代々伝わった発音を忠実に守ってヴェーダを暗唱する伝統を継承していた。ケーララに移り住んだナンブーディリバラモンたちは現地の言語であるマラヤーラム語を習得した。このサンスクリット語とマラヤーラム語のバイリンガルとなったナンブーディリバラモンの子孫が、サンスクリット語の語彙を書き言葉のマラヤーラム語に取

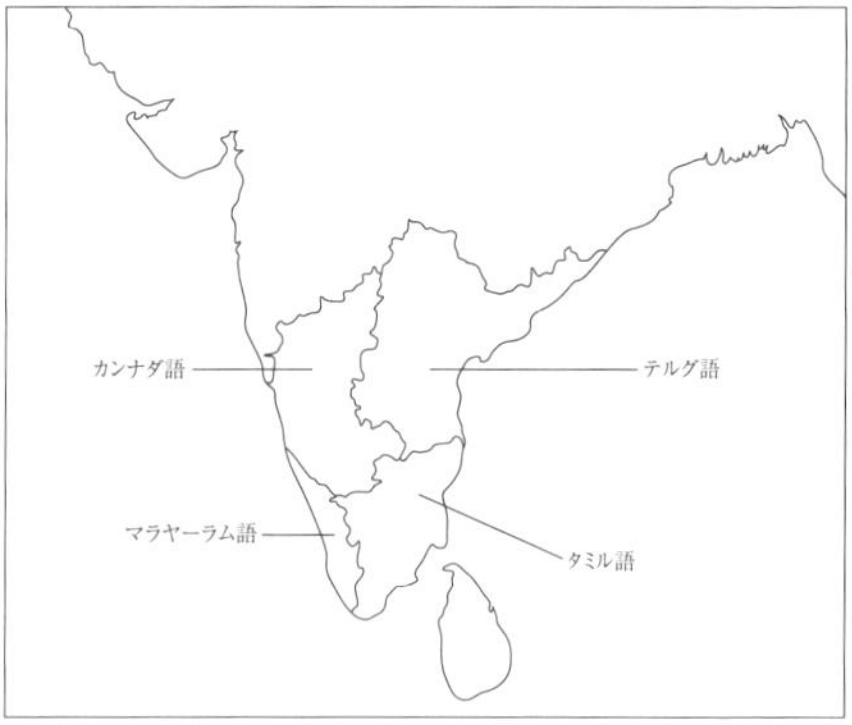

図9　主要なドラヴィダ諸語の分布図

図10　祭式を行うナンブーディリバラモン

り入れ、現在も使われているのである。この借用の過程においてマラヤーラム語（の文法）が大きく変わることはなく、マラヤーラム語の下敷きの上にサンスクリット語の語彙がかぶさり、見事にブレンドされた例となった。ナンブーディリバラモンは父系社会を形成し、長男のみが北インドから移ってきた同胞バラモンの女性と結婚し、次男以下は現地の武士階級で母系社会を形成するナーヤル族の女性と結婚することで財産分与を避けた。

ムンダ諸語およびチベット・ビルマ語派の諸語

続いてインドの東部で話されるオーストロアジア語族のムンダ諸語、およびシナ・チベット語族のチベット・ビルマ語派の諸語に目を移そう。オーストロアジア語族は東南アジアからインド東部・バングラデシュに散在する語族であり、東南アジアのモン・クメール語派（一四七語）とインドのムンダ語派から構成される。ところで、なぜインド東部でオーストロアジア語族の言語が話されているのだろうか。

長江流域から稲作とともに西方へ移動したオーストロアジア語を話す男性の集団が、インドで現地の女性と交配し、その子孫が現在のムンダ諸語を話す人々であることが遺伝子学の最新の成果で明らかになっている。

図 11　オーストロアジア語族の分布．網掛けがムンダ語

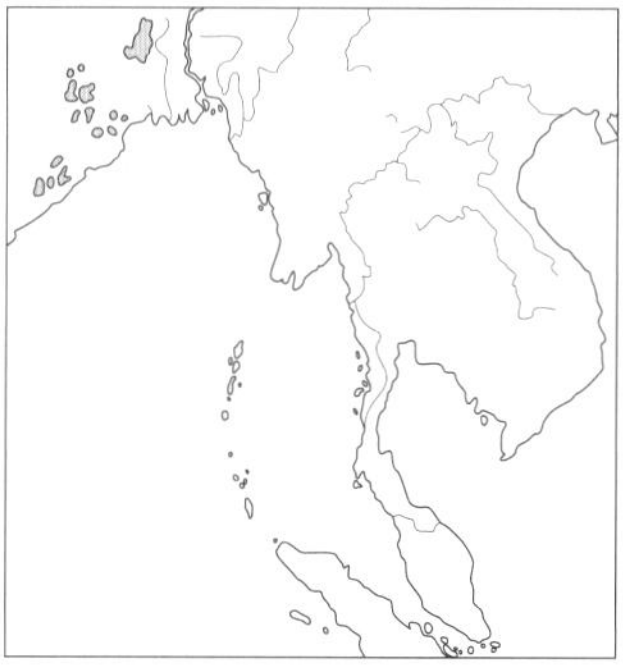

図 12　ムンダ族の女性（上）と伝統的な踊り（上：ラメシュ・ラルワニ，下：スディプティ・ミンツ撮影）

Chaube et al. (2011, Table 2) はオーストロアジア語を話すカシ族とムンダ族の人々を対象に、母から娘へと伝わる長江流域在来のタイプであるmtDNA（ハプログループO2）および父から息子へと伝わる長江流域在来のタイプであるY染色体（ハプログループO1b1）を調べた。ムンダ族には東南アジア系のハプログループO2はまったくなく、ハプログループO1b1の割合が六〇・五六％であり、父系言語拡散の典型例といえる。一方、カシ族の場合、東南アジア系のハプログループO2の割合は三八・五七％、ハプログループO1b1の割合は七四・六二％とのことである。同研究の調査ではインド東部のアッサム州で話されているチベット・ビルマ語派の声調をもつ言語を話す人々では、ハプログループO2の割合は六六・九一％、ハプログループO1b1の割合は八五・九五％であることが判明した。このデータからチベット・ビルマ語派の言語を話す民族はインドのほかの語族の言語を話す民族との混淆が少なく、民族的にも、言語的にも故郷の東南アジアとの類似度がきわめて高い。[6][7]

アンダマン諸島の言語

次に、インド東部ベンガル湾に浮かぶインドの連邦直轄地域アンダマン諸島を取りあげる。アンダマン諸島で話されている言語については、Abbi[8]が大アンダマン語族とオンガン諸語という二つのグループ

6 Joseph, T., 2018. Early Indians: The Story Of Our Ancestors And Where We Came From, Juggernaut Books.

7 人・言語の混淆と同様，食料についても，東南アジアのジャポニカ米と現地のLahuradewa米の混合種が誕生した．

8 Abbi, A.,2018. A sixth language family of India: Great Andamanese, its historical status and salient present-day features. Rajend Mesthrie and Bradley, D. eds. *The Dynamics of Language Plenary and focus lectures from the 20th International Congress of Linguists*, UCT Press.

9 Thangaraj, K.,et al., 2005. Reconstructing the origin of Andaman Islanders, Science, 308: 996.

に分類する（もう一つ、アンダマン諸島語であるセンチネル語の分類は未確認とされている）。遺伝子学の研究[9]は、この二つの諸語の話者が南アジアと東南アジア在来のmtDNAと異なるアンダマン諸島固有のハプログループ（M31とM32）に属することを示している。また、同研究は、アンダマン諸島の人々は初期旧石器時代の東南アジア入植者の子孫であり、約七万年前にアフリカを出た最初の移住者の子孫であるという説も提起している。オンガン語族については、オーストロネシア祖語と遠縁であるとの説が提出されているが、反論する学者もいて、論争が続いている。遺伝子学的な研究によってオンガン諸語に属すジャラワ語とオンゲ語を話す人々はほかの人間の集団と交流がほとんどないことも明らかになっている。人類最古の文化の一つの末裔だと考えられているアンダマン諸島の人々が話す言語は現在、母語話者がおおよそ二桁台で消滅危機言語となっており、その存続が危ぶまれる。

図13　オンゲ族の人々［出典：BrandonF2 撮影］

公的に認定されている言語としての英語

最後に、記憶に新しい時期にインドにやってきた英国人・英語を取りあげる。一八五八年に英国はムガル帝国の君主を廃してインドを英国の直轄植民地とした。インドには英国人総督が置かれ、英語を通して少数の英国人官僚による支配が続いた。独立後インド憲法が制定され、インド憲法の条文（第三四三条）において「インドにおける連邦政府レベルでの唯一の公用語はデーヴァナーガリー表記のヒンディー語である」と規定されている。一方、上述のように、同憲法の第八付則に二二言語が列挙され、「公的に認定されている言語」という位置づけになっている。英語には政府行政機構において準公用語の地位が与えられ、近代以降、支配者の言語であった英語は時代が下るにつれて多言語国社会であるインドの「共通語」の地位を獲得した。二一世紀に入ってからは英語がさらに支配的な地位を獲得し、インド諸語の使用領域が縮小されつつある。また、インド諸語に英語を混ぜて話すことはインド人のコミュニケーションの特徴の一つとなっている。

結び

本章ではインドの民族や言語の多様性はどのように誕生したのか、その形成過程に焦点をあててみた。比較言語学や歴史言語学によってインド諸語はインド・アーリア、ドラヴィダ、オーストロ・アジア、シナ・チベット（チベット・ビルマ）、タイ・カダイおよび大アンダマンの六つの語族に分類されることが明らかになっている。言語学的な研究は記録された言語によって行われるため、記録（歴史）以前に形成された言語の多様性についてはその全体像がみえてこない。近年、言語学的な研究の知見と言語による記録以前の時代にヒトが残し

参考文献

- Chaubey, Gyaneshwer et al., 2011 “Population genetic structure in Indian Austroasiatic speakers: the role of landscape barriers and sex-specific admixture”, *Molecular biology and evolution*: 28（2）: 1013–24.
- Deshpande, Madhav, 1979, “Genesis of Rgvedic retroflexion; A historical and sociolinguistic investigation. In Deshpand & Hook（eds.）*Aryan and Non-Aryan in India*, 235-315.
- Emeneau, M. B., 1954., “Linguistic Prehistory of India”, *Proceedings of the American Philosophical Society*, 98（49）: 282–292.
- Kumar, S., et al., 2008, “The earliest settlers’ antiquity and evolutionary history of Indian populations: evidence from M2 mtDNA lineage”, *BMC Evol Biol* 8（230）（https://doi.org/10.1186/1471–2148–8–230）.

たモノ（食器、道具など）やヒトの遺体・骨などから抽出される遺伝子の研究の知見を総合することによって、ヒトの移動とそれに伴う異民族・異文化の交流・混合が言語の多様性を生み出すことが明らかになりつつある。グローバル化が急速に進む昨今では、インドのみならず全世界でヒトの移動がますます激しくなり、その過程でコミュニケーションや教育の共通言語としての英語がその勢力を増している。話者の少ない言語が消滅する速度も早まっており、言語の多様性が脅かされている。言語の消滅はその言語を話す人々の文化、生活の知恵などの宝物の損失をも意味する。今後、言語の多様性の理解が一般レベルで深まり、また、それを維持するために意識的な努力が払われることを切に願う。

［プラシャント・パルデシ］

・ Mohan, P., 2021. Wanderers, *Kings, Merchants: The Story of India Through Its Languages*, Penguin Viking.

コラム 1

「甘党の国」を支えるサトウキビ栽培

インドは「甘党の国」である。まずチャーイ（チャーェ）が甘い。ミルクに茶葉と砂糖をぶち込んで、鍋でぐつぐつと煮立ててつくる濃いミルクティーは、暑さでへばった体に糖分を染み渡らせるのにはいいのだが、「甘さひかえ目」「シュガーレス」といった言葉があふれる日本で暮らす者には、正直いって甘すぎるのである。

スイーツも激甘だ。例えばインドで最もポピュラーなお菓子の一つジャレービーは、小麦粉の生地を油で揚げたあとに甘いシロップにどっぷりつけ込んだもので、これはもう歯が痛くなるほどの甘さだし、小麦粉と牛乳でつくった丸い団子をシロップにつけたグラーブジャームンは「世界一甘いお菓子」として知られている。

そもそも砂糖はインドで発明され、世界に広まったものである。サトウキビの搾り汁を煮詰めて糖蜜をつくる方法は、今から二〇〇〇年あまり前のインドで最初に発見されたといわれているし、砂糖を精製し、結晶化させる方法を発明したのもインド人だった。歴史的にみても、インド人が筋金入りの甘党なのは当然なのだ。

サトウキビの栽培は今でもインドの主要産業の一つだが、栽培方法

図1　激甘スイーツのジャレービーはインドでもっともポピュラーなお菓子の一つだ

図2　「世界一甘いお菓子」として知られているグラーブジャームン

は昔からあまり変化していないようだ。人の手で畑に苗を植え、三mほどの背丈にまで成長したら、鎌を使って刈り取っていく。機械化が進んでいないサトウキビ栽培は、今も昔も多くの人手を必要とする労働集約型産業でもあるのだ。

サトウキビ畑のそばには「グル」とよばれる粗糖をつくる小さな工場がある。グルはサトウキビの搾り汁を沸騰させてつくる含蜜糖で、白砂糖のように遠心分離機を使って糖蜜を分離しないので、サトウキビがもつミネラルと濃厚な甘みを残した素朴な味わいを楽しむことができる。

グルの製法はとてもシンプルである。まず収穫したサトウキビを大きな歯車の間に通して樹液を絞り、その絞り汁を直径三mほどの巨大な鍋でぐつぐつと煮立て、凝固を進めるために石灰を加える。アクを取り除きながら三〇分ほど煮詰めて、冷やし固めれば完成だ。

グル工場の中はとにかく暑い。朝から晩まで燃料となるサトウキビの絞りカスを燃やし続けているから、まるでサウナにいるような熱気に包まれているのだ。決して楽な仕事ではない。

「暑さはどうってことないさ。」かまどのそばで火の番をしている男が、額の汗をぬぐいながらいった。「父親も、おじいさんも、そのまたおじいさんも、ずっとこの仕事をやっていた。暑さには慣れているよ。」

図３　南部カルナータカ州で収穫したサトウキビを運ぶ女性

図４　サトウキビの絞り汁を巨大な鍋で煮詰める男

グルづくりは先祖代々受け継いできた家業だが、この先も続けられるかどうかはわからないという。数年前、近くに大きな製糖工場が建ち、操業を始めると、効率では太刀打ちできないからと多くの零細工場がグルづくりをやめてしまったそうだ。

「でも、我々はできる限りグルをつくり続けたいんだ。」

と男は静かにいった。

「これは俺たち家族が神様から与えられた仕事だからね。簡単にやめるわけにはいかないんだ。」

ココナッツは捨てるところがない作物

ココナッツもインド人の食生活に欠かせない作物の一つである。新鮮なココナッツジュースは日中の暑さを忘れさせてくれる飲み物として今でも人気が高いし、成熟したココナッツの胚乳をすりおろしてつくられるココナッツミルクは、調味料としてさまざまな料理に使われている。

「それにココナッツの殻の繊維は丈夫なロープをつくるのに最適だし、かまどで燃やせば良質の燃料になる。ココナッツというのは捨てるところがまったくない、優秀な作物なんだよ。」

タミル・ナードゥ州にあるココナッツ農園のオーナーは、そう胸を張った。かつては「ココナッツさえ植えておけば、それだけで金持ちになれる」といわれていた時代もあったそうだ。

図5　大鍋で煮詰めたサトウキビの樹液を，巨大なバットに移し替えて冷やす

図6　水分が飛んで固形化した含蜜糖グルは，ミネラル豊富で素朴な味わいだ

椰子の木に登って実を落とすのは、専門の職人たちの仕事だ。腰に巻いたロープと腕の力だけを使って二〇mの高さをするすると登っていく様子は、まるでサーカスの曲芸師のように見事だった。この道一筋四〇年以上というベテランの職人は、六〇歳近くになった今でも、無駄のない引き締まった肉体を維持していた（図7）。

「四〇年の間に何回ぐらい木から落ちましたか？」

僕が訊ねると、彼はやや憮然とした表情で、「一度もないよ」といった。子供の頃から椰子の木に登り続けてきた俺が、木から落ちるなんてヘマをやらかすわけがない。もし落ちるようなことがあったら、いよいよこの仕事を辞めるときだよ、と断言するのだった。

仕事とは神様から与えられた役割であり、それをまっとうすることこそが人生だ。そんな言葉を何人ものインド人から聞いた。彼らの堅実で実直な仕事ぶりが、今も昔もこの国を底辺から支えているのである。

［三井昌志］

図7　ロープと腕の力だけで椰子の木に登って実を落とす専門の職人

図8　市場でココナツの実を売る男

4 関係性に埋め込まれたカースト

社会のにおいに気づく

清掃カースト（カースト名はバールミーキ）の調査をしていることを清掃カースト以外のインド人に言うと、「あなた、においは耐えられるの？　大丈夫？」とにおいの問題をまず聞かれる。ヒンドゥー教で、排泄物、廃棄物は不浄の最たるものと考えられ、それらとの接触が避けられない清掃、洗濯、動物の屍体処理の仕事は、伝統的にダリト（「不可触民」[1]）によって担われてきた。インド社会では、職業と身分意識は密接に関係している。なかでも清掃カーストは最下層として、厳しい差別を受けてきた。

都市部に住む清掃カーストの人々は、政府の清掃職員であることが多い。清掃職員向けの宿舎に集住し、朝早くから市内の道路清掃やごみ収集に従事する。地域によっては、宿舎の近くにごみ集積所が置かれ、豚が徘徊している。家の前後には淀んだ水が溜まった蓋のない下水溝が走り、悪臭が漂う不衛生な環境である（図1・図2）。

豚は住民の生活と密接にかかわっている。豚食はヒンドゥー教やイスラーム教でタブーとされているが、ダリトのコミュニティでは貴重

1　「不可触民」は差別用語として忌避されている．その代わりに，行政用語の「指定カースト（Scheduled Castes：SC と略すことが多い）」，被抑圧的状況に抵抗する自称としての「ダリト（砕かれたの意．Dalit）」，M. K. ガーンディーが提唱した「ハリジャン（神の子の意．Harijan）」などが使われている．こうした総称以外に，状況に応じて個々のカースト名を自称する場合も多く認められる．

図1　調査地デリーの様子（下水溝の近くに住む）

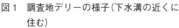

なタンパク源として食されてきた。祝いの儀式では、香辛料をきかせた豚肉煮込みが振る舞われる。このように、においは清掃カーストの居住区や食習慣と結びついており、差別意識を引き起こしやすい。

においが社会の分断をよび覚ますさまは、二〇二〇年の米アカデミー賞受賞で世界的に注目を集めた韓国・ポン・ジュノ監督の映画『パラサイト　半地下の家族』の中でも見事に描かれていた。映画の後半で、裕福な家庭の夫が、運転手として雇っている半地下暮らしの主人公のにおいに気づくシーンがある。

「共生しているように見えながらも、「におい」が両者の関係をゆがめる。日々の暮らしで体や服に染みこんだにおいは、本人の意思とは無関係に〝階級社会〟の隔たりを簡単に乗り越え、壁の向こう側にすっと流れ込んでいく。それと同時に、心の奥底に押しこめていた差別意識や劣等感をも浮き彫りにしてしまう[2]」。

同様の指摘は、インドのカースト、米国の人種問題においても可能かもしれない。日本はどうだろうか。

旅行では気づかなかった社会に埋め込まれたにおい。現地に長期滞在し、フィールドワーカーという立場に身を置くことで、においという身近な感覚がその社会の階級、差別、格差、人種などと結びついていることを改めて考えさせられた。

2　日本経済新聞「韓国「格差社会」のにおい」2020年2月18日夕刊.

図2　調査地デリーの様子（ごみ集積所の豚）

旅行者からフィールドワーカーへ

一九九七年、大学でヒンディー語を学んだばかりの筆者は初めてインドを訪れた。長く現地にいられるように、できる限り節約するバックパッカーの旅だった。

インドの国土面積（三二八・七万ｋm^2）は日本の八・七倍に相当し、まずその大きさに圧倒される。高額な飛行機を避けて、バスや列車で移動する日々。鉄道の総延長（六万七〇〇〇ｋｍ）は、米国、中国、ロシアに次ぐ世界第四位の長さだ。車窓から目にする自然や動物、線路沿いに暮らす人々の生活風景、鮮やかな色彩のサリーをまとう女性たちの光景は、まったく見飽きることがなかった。移動するたびに変わる看板の文字、人々の顔立ち、食材の組合せに驚き、国の広大さと多様性を実感した（図３・図４）。

最初のインド旅行で、筆者はすぐにインドに魅せられて、ほぼ毎年出かけた。大学院に留学する機会を得て、首都デリーで学生生活を過ごした。この長期滞在の経験を通して気づかされたことは、現地の感じ方が旅行のときと質的に異なる、ということであった。それは、物価水準や土地勘などの生活感覚を意味するだけではない。例えば、それはインド独特の慣習ともいわれる「カースト」があてはまる。知識としては知っているのだが、実際の生活でカーストが「見える」機会を外国人旅行者の立場からは捉えることができなかった。

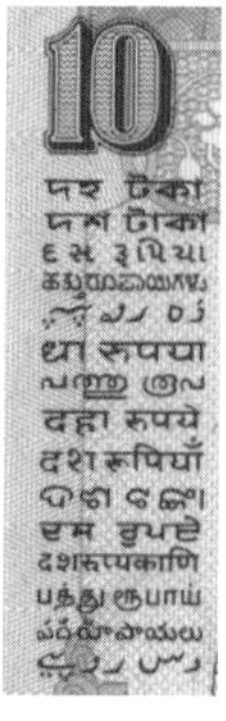

図３　お札に印字された州公用語の文字

図４　多文字社会のインド（新聞もさまざま）

現地に長期滞在し、言葉を覚え、人々との関係性を少しずつ築くことによって、人々が生きる現場の内側から、目に見えない規範や価値体系などを理解しようとする方法は、地域研究者が行うフィールドワークの基本姿勢である。現場で出会う具体的な事象を観察し、より大きな歴史的、政治経済的文脈に位置づけて捉えようとする。

そうした試みにおいて、不可欠なのはインフォーマント（調査協力者、情報提供者）との出会いである。筆者のカースト理解は、清掃カーストの人々との出会いに基づいている。調査対象が北インド都市部の特定のカースト集団という点で、地域的な限定があることは否めないが、一人でインド全体を調査することは不可能であるから、調査者はまず自分のフィールドを決めて、掘り下げていくことになる（図5・図6）。

カーストという概念とその実際

私たち人間は、いつ、どこで、誰のもとに生まれるかを選べない。生まれによって、ある社会の一員に位置づけられ、他者との関わりの中で生きていく。

インドのカーストは、人種と同様に人間社会の中で歴史的につくられてきた概念（考え方）である。自分で変えたり、消し去ったり、逃れることができない。なぜなら、カーストは人と人との関係性の中に

図5　狭い路地をインフォーマントに案内してもらう

図6　インフォーマント家族とピクニック

埋め込まれているからだ。

その意味において、「カーストはなくなった」という声が聞かれる一方、日常のさまざまな場面でカーストが重要視されている状況は現代でもたしかに存在する。後述する結婚は、その代表例だろう。正確な統計資料は得られていないが、インド人の結婚の八割近くはお見合い婚といわれる。親は自分の子どもを同等かそれ以上のカーストの相手と結婚させたいと願う。カーストを「気にしない」という若者も増えつつあるようだが、それでも恋愛と結婚の相手を分けて考える人が多いように思われる。結婚相手を見定める際に、「ふさわしいカーストに属しているか」が重要な要件の一つとして考慮される。家族やコミュニティの結びつきのほかにも、職業、食文化、政治運動、芸術文化など広範囲にカーストの影響はおよんでいる。

生まれによって定められる

インドのカーストは、結婚、職業、食事などに関してさまざまな規制をもつ排他的な人口集団である。そもそも「カースト（caste）」という言葉はインドにはなく、かつてポルトガルの航海者がインドで目にした社会慣行に対して与えた「カスタ（casta）」に由来する。その「カスタ」は、一六世紀にポルトガルからやって来た宣教師たちによってもたらされたラテン語での「カストゥス（castus）」の「混

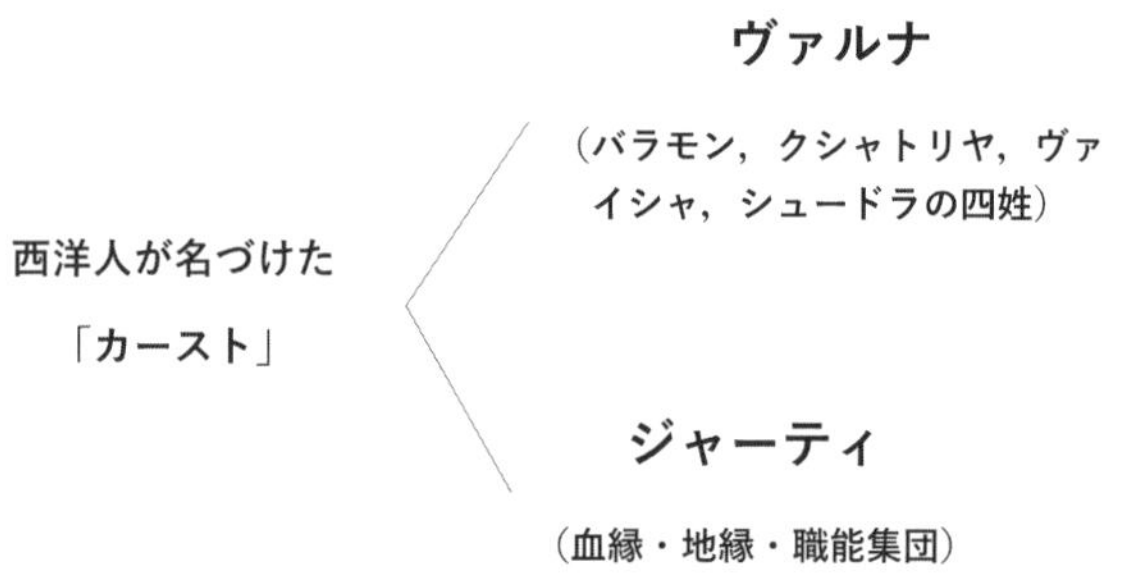

図７　ヴァルナとジャーティ，カーストの概念

ざってはならないもの、純血」から派生し、「血筋、人種、種」を意味する。しばしば「カースト制」、「カースト制度」とよばれるが、カーストは国が定めた制度ではなく、社会的な身分制である。長い年月をかけて根付いていった。

カーストには、二つの概念――「ヴァルナ（varna）」（色の意）と「ジャーティ（jati）」（生まれの意）が含まれる（図7）。

ヴァルナは、前一五〇〇年から前一二〇〇年にかけてインド亜大陸に進出したアーリア人たちが自分たちも肌の色が黒い先住民と自集団を区別するために用いた言葉ともいわれている。ヴァルナはピラミッド型でイメージされる上下に序列化された社会階層の概念である。浄／不浄の考え方によって階層化され、バラモン（祭官・学者階層）を頂点として、クシャトリヤ（王侯・武士階層）、ヴァイシャ（商人・平民階層）、シュードラ（上位三階層に奉仕する階層）と下るにつれて不浄の度合いが増す。この社会理論は、前八世紀から前七世紀にかけて成立し、紀元後数世紀には、これらの下にさらに不可触民というカテゴリーが加えられた（図8）。

一般に、日本で知られるカーストはこのヴァルナを指すことが多いが、もともとヴァルナはヴェーダ文献や法典によって伝えられたバラモンの教義・理念にすぎず、実体的なものではなかった。バラモン教によって、あるべき社会の形として規定され、理念化された。

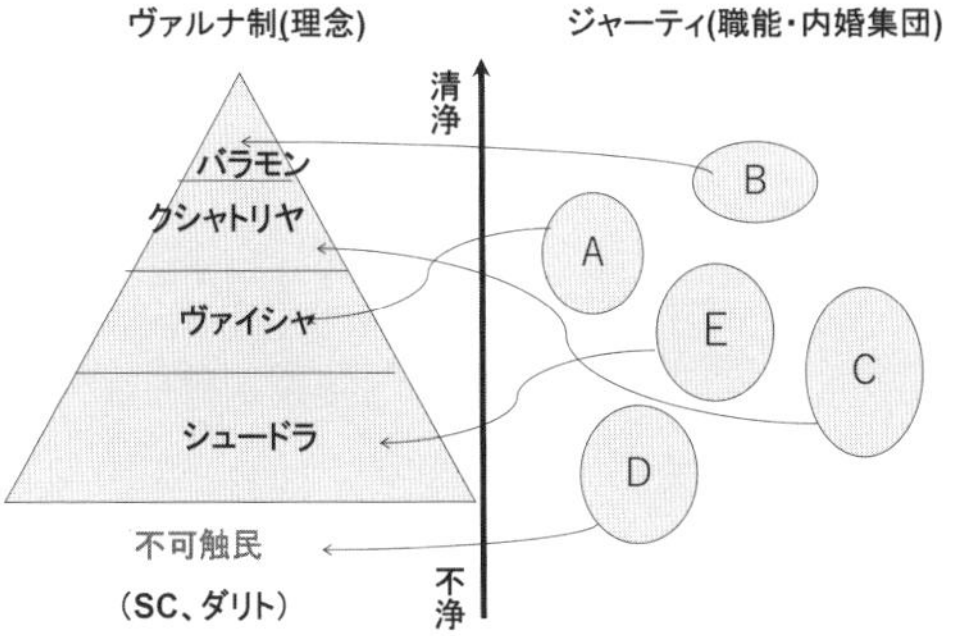

図8　ヴァルナとジャーティの関係

一方のジャーティは、相互互恵的な横のつながりで、一定の地域社会を基盤として、生まれによって帰属が定められる一次的な社会集団を指す。結婚相手の選択や職業の世襲、村落社会に特徴的な分業制などは各ジャーティ間で行われてきた。各ジャーティ間には序列だけでなく、モノとサービスの交換関係もみられたことから（横のつながり）、分業に基づく安定した社会システムという見方もある。各ジャーティ間の分業を概念化した研究には、一九二〇年代の北インドの農村調査をもとにしたW・H・ワイザーの「ジャジマーニー制」[5]が有名である。

地域単位で機能していたジャーティの存在が歴史資料によって確かめられるのは紀元後一〇世紀頃からである。時代を経て、ジャーティはヴァルナ制の階層理念にある程度対応しながら身分的に位置づけられていった。

植民地支配下のカースト

理念としてのヴァルナ制が実体化し、現実のインド社会を規定するようになったのは、英国による植民地支配の時代に、古代サンスクリット文献が積極的に参照、利用されるようになった一九世紀以降と考えられている。そこでは、植民地政府から現地社会への一方的な影響だけではなく、インド人側もカーストに関連する政策に対して積極的に反応した。例えば政策には、植民地統治の一環として導入された

5　ジャジマーニー制とは，複数のジャーティ集団で構成される村落社会の一定範囲で，モノやサービスの互酬的な交換関係がパトロン世帯とクライエント世帯の間で慣習的に形成されているシステムを意味する．北インドの農村調査をもとにして，米国の宣教師W.H. ワイザーが1936年の著書で提起した考え方で，インド村落でのカースト間分業を概念化した用語として定着した．その後の研究では，このような交換関係が1920年代の北インドの村落社会で確かに観察されていたとしても，それがインド全域に及んでいたというよりもむしろ個別的な一対一の分業関係も重層的に機能していたという指摘もなされている．

徴税目的のための地租策定事業、国勢調査（センサス）、地誌、民族誌調査などが含まれる。それらを実施する際に、現地の土地所有形態やカーストなどの社会集団の慣習、宗教に関する詳細な情報が植民地行政官の人類学者によって収集された。実際には、当時の現地社会の人々は自分の帰属するカーストや宗教について曖昧だった。しかし、調査や政策を通じて、カーストという集団が公的に認知されることになり、その概念規定や範疇は、植民地行政の意向や介入による影響を大きく受けたのである。[6]

こうした歴史的経緯を受けて、「英国がカーストをつくった」という主張もある。たしかに英国の統治時代には、インド人を宗教やカーストで分断し、統治しやすくしようとした一面がある。しかしカーストとよばれる慣習、不可触民差別は英国の支配前から存在していたことを思い起こす必要があるだろう。

カーストをどう捉えるか

カーストをヒンドゥー教の宗教的価値体系に基づく身分のヒエラルヒーとして構造的にとらえるのか、[7]ジャジマーニー制のようなカースト間分業制による関係主義的にとらえるのか、あるいは植民地時代につくられた近代の産物とみなすのかという議論に加えて、現代のカーストをめぐる現象に注目して新たな見方を提供しているのがカースト

6 カーストの基本的説明と歴史については，小谷汪之，1996『不可触民とカースト制度』明石書店；小谷汪之，2003「カーストとカースト制度」小谷汪之編『社会・文化・ジェンダー（現代南アジア 5）』東京大学出版会，pp.117-136；藤井毅，2003『歴史のなかのカースト』岩波書店を参照のこと．

7 相互依存的なカースト間関係が注目されるにつれ，その関係を秩序づける原理についても熱心に議論がなされた．その原理をヒンドゥー教とその価値体系に求めた代表的な研究に，フランスの構造人類学者ルイ・デュモンのカースト論がある．インド社会観に大きな影響をおよぼしたデュモンのカースト論によると，カースト制度の基礎にはヒンドゥー教の浄／不浄の対立観念があるとされた．浄の役割を担うバラモンを頂点としたヒエラルヒーの原理が，社会の諸要素を全体との関係の中で序列化する．一方，最も不浄とされた不可触民は相互補完的に機能して，全体に奉仕する．なぜなら，上位カーストの浄性が維持されるためには，不浄を取り除く役目を果たす不可触民の存在が不可欠→

を文化的集団とみる研究アプローチである。

このような研究が出てきた背景には、政治社会領域でのカーストの「実体化」と「政治化」とよばれる現象が顕在化したことによる。カーストの実体化を促すものとして注目されるのが「カースト団体」とよばれる地域を越えた同等の複数のカーストからなる二次的なカースト集団（生まれによって属する一次集団のカーストとは区別される）の出現と、それらによる活発な運動である。カースト団体は特に政治の場で「カースト・ポリティクス」と称されるほど重要なアクターとみなされている。

こうした動きは、二〇〇〇年代半ばから再燃した留保制度拡大の論争、そして二〇一一年の国勢調査における個人のカースト帰属を申告する項目の導入などの諸政策と連動して加速している。[8] こうした流れの中で、カースト的区分が個人のアイデンティティの一部となり、表立って主張することでカーストが実体化していく状況が生まれている（図9）。

以上、カースト研究の議論を大まかに述べてきたが、重要なことはどれか一つのアプローチに偏るのではなく、それぞれの論点が実際にどのように関連しているのかを注意深く考察することである。インドの広大さと多様性を考えるとき、カーストを固定的で不変なものとして捉えるべきではない。現地調査に依拠した多くの先行研究が明らか

図9　ダリトの留保制度を支持するポスター

→になるからである．デュモンは，宗教原理をインド社会の基礎とすることで，世俗の政治権力，経済力はあくまでも二次的なものとして切り離し，浄／不浄の両極を揺るがさないと考えた．こうした見方は，その対極に近代西欧の個人主義的平等性を置くもので，インドを特殊とみなす傾向が強い（田中雅一・渡辺公三共訳，2001『ホモ・ヒエラルキクス—カースト体系とその意味』みすず書房）．浄／不浄観を原理とするデュモンのカースト論は，多→

にしてきたように、カーストの様相は地域、ジェンダー、世代、そして宗教（ヒンドゥー教以外も含む）などによってもさまざまである[9]。次節では、結婚の観点から現代のインド社会でカーストがどのように意識されているかを考えてみよう。

カーストをみえなくする——インド婚活市場

米国の動画配信大手Netflixをはじめとする動画配信サービス[10]の世界的な普及によって、これまで馴染みの薄かった地域のドラマ、映画、ドキュメンタリー作品を国境や時差の壁を越えて視聴できるようになった。そうした中で、インド人の結婚式や結婚観をテーマに取りあげる作品も増えつつある。

Netflixの人気リアリティ番組『今ドキ！インド婚活事情』（二〇二〇年）をご覧になっただろうか。ムンバイー在住のマッチメーカー（結婚の仲人）シーマー・タパーリアがインドと米国を行き来して、顧客のために適切な結婚相手を探し出して引き合わせる内容である。インド系米国人の結婚に対する考え方を「リアルに」描いているとして注目された。登場する顧客の女性たちは暮らしぶりもよく、弁護士や経営者である。自信にあふれ、臆することなく理想的な伴侶の条件を挙げる。そこにカーストは明示されない。

しかし、「インドでは、カースト、身長、年齢をみなければなりま

→くの論争を生んだ．

8　留保制度とはいわゆるアファーマティブ・アクション（積極的差別是正措置）に類するもので，中央・州議会の議席，公務員の採用，高等教育の入学において人口比に相当する留保枠を特定集団の出身者に限定して与える制度である．法的根拠はインド憲法に求められる．第4編「国家政策の指導原則」の第46条では，弱者層に対する教育・経済上の離籍の促進をはかることが明記され，さらに第16編「特定階層に対する特別規定」の中で実施内容が規定されている．こうした措置は，立法政策を通じて行われる事例が他国でみられるのに対して，インドは憲法に明記している点が大きな特徴である．元不可触民とされる人々は，指定カースト（SC）と一括されて対象集団に含まれている．

留保制度の社会的効用と是非，対象集団の新たな認定をめぐって激しい論争が今日まで続いているが，この制度によって大学に進学し，出自カーストと結びついていた職業から離れて新しい専門職に従事する新たな層が形成されつつあることも事実である．

せん」とタパーリアは番組の冒頭で断言する。では、どのようにカーストを特定するのか。その手がかりとなるのが、多用される「よい家柄」、「よい教育」、「共通の価値観」といったフレーズである。よい家柄とは上位カースト、よい教育とは欧米で学位を取得していることを暗黙の裡に指している。そのような経歴を有し、「共通の価値観」をもつような人々は限られたエリート、富裕層だろう。こうした排他的な見方を制作者が無批判に視聴者へ提示していることに対して、ダリト出身の若手作家のヤシカ・ダットは痛烈に批判する。

> 「無害な言い回しでカーストをコード化することで、この番組は多くのインドの上流階級の家族がこの厄介なテーマを議論する際にやりがちなことを正確に行っているのです。それは、カーストを見えなくすることです[11]」。

番組の原題は「Indian Matchmaking（インド式お見合い）」であるが、インド人口の約四割を占めるムスリム、クリスチャン、ダリトを名乗る人々は登場しない。Netflixは、コンテンツ制作陣と配役に人種・民族・性的マイノリティの多様性を促進させることによって、画期的で挑戦的な作品を生み出すことに成功していると評されるが、今後はインド社会を描く作品にもいっそう多様性の視点が求められるのではないか。

9 金基淑編著，2012『カーストから現代インドを知るための 30 章』明石書店．各コミュニティの事例が詳述されている．

10 本書の 13 章を参照．

11 Dutt, Y., 2020, “Indian Matchmaking Exposes the Easy Acceptance of Caste”, *The Atlantic*.（https://www.theatlantic.com/culture/archive/2020/08/netflix-indian-matchmaking-and-the-shadow-of-caste/614863，2022 年 3 月 7 日閲覧）

「結婚は当然同じカースト出身者と」

先述した番組の結婚観がどの程度支持されているのかは賛否両論あると思われるが、カーストの違いにかかわらず、インド人にとって結婚は最重要の関心事といえるだろう。「あなたは結婚しているの？」は初対面で必ずといってよいほど聞かれる質問だ。

同じカーストどうしでの通婚を「カースト内婚」とよぶ。カースト内婚の実態については公式な統計資料が存在せず、その全体像を把握することは非常に困難である。個別の調査結果を事例として検討するしかない。

筆者がデリーで調査を行った一三五世帯のバールミーキカーストの例を挙げると、カースト内婚が圧倒的であった。一世帯を除く一三四世帯が同じカースト出身者と結婚したと答えている[12]。その理由として多く聞かれたのが、「自分と同じコミュニティの人間と結婚する方が安全で結婚生活もうまくいく」という回答であった。バールミーキより上位のカースト出身者との結婚はもとより、恋愛相手として考えることも「ありえない」という感じであった。またバールミーキに限らず、カーストが異なる者どうしの恋愛・結婚で、報復としての暴力や殺人に発展する事件が後を絶たない。凄惨な犯行が新聞やメディアで報道されている。このような背景で、バールミーキの人々は差別意識を感じとりながらも、カースト内婚を「当然」として強く支持してい

図11　新聞の結婚広告に示されるカースト区分(小磯千尋提供)．インターネットのお見合いサイトについては https://www.shadi.com/ なども参照

図10　調査地での結婚式

12　鈴木真弥，2015『現代インドのカーストと不可触民―都市下層民のエスノグラフィー』慶應義塾大学出版会，pp. 150-152.

るように思われた（図10）。

カースト内婚が慣習化している一方で、得られた回答の中には、「子ども達には別のコミュニティと結婚してほしい」という親たちも少なくなかった。そのためには、「よい教育」、「よい仕事」が不可欠と考えられている。この場合、「よい教育」の意味することは、前述したNetflix番組の登場人物たちが同じフレーズで語った「よい教育」と同じでないことはいうまでもない。

カースト内婚の場合でも、特に経済的、社会的地位の高いバールミーキ家族は、自分たちと同等かそれ以上の同カースト出身者を伴侶の条件に挙げる傾向が高い。大学・大学院以上の学歴や安定した職種（公務員の中級職以上、弁護士や医師、エンジニア、教員、大手企業の正規雇用など）に就いている家族の間で縁組が試みられる。このことから、カースト内部の階級分化が進んでいることも確認されよう。

下層カースト内部の社会経済的格差が広がっていることから、「ダリト」「バールミーキ」と一括りにして論じることにもはや限界があることは否めないだろう。先述した留保制度の恩恵に浴しているのは、一部のカーストにすぎないという批判も常になされてきた。

発展から取り残された人々をカーストの枠組み以外でどのように支援すべきかが政策立案者に問われている。そして同時に、結婚の事例からもみてきたように、表に出す／出さないにかかわらず、カースト

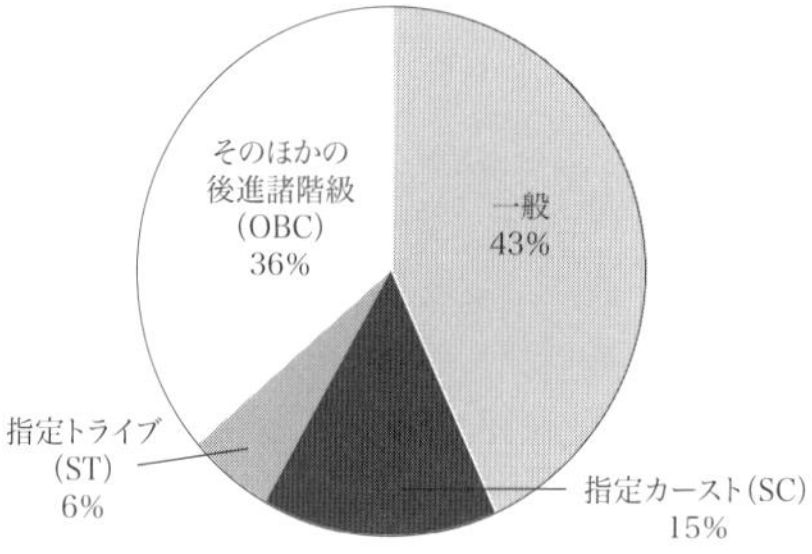

図12　全インドの高等教育の在籍者数における各社会集団の割合（2018–19年）［出典：Government of India, Ministry of Social Justice and Empowerment, 2021, *Handbook on Social Welfare Statistics*, New Delhi. より作成］

は依然として人々の生き方や重要な選択をするときに影響を与え続けている。

［鈴木真弥］

5 インドの教育

インドの教育の原点は師弟

インドの留学先、ネルー大学[1]（図1）登校初日、私はまだ誰も来ていない教室にポツンと座っていた。突然扉が開いて、小柄なおじいちゃんが現れた。「君が智子かい？」ヒンディー語でいうと「トゥム・トゥムコ・ホ？」[2]となる。初対面で冗談をいい放ってきたこの方は、インド語学科長のマネージャー・パーンデー教授だった。ご親切な坂田貞二教授が、旧友のパーンデー教授に私のことを伝えてくださっていた。あの日から二五年以上、恩師には公私ともに大変お世話になっている。

インドの師弟の歴史は古い。インドの教育は古代インドのグルクル[3]という教育機関が始まりとされる。学ぶ志があれば誰でもグル（師匠）に教えを乞うことができた。グルが許可すればグルの家に住み、生活全般にお仕えしながら学ぶ機会を得る。さまざまな学問を自由に、いつまでも学ぶことができた。人生や自然に密着した「学び」であり、情報を暗記するような現代の形態とは異なるものだった。

インドに留学する前の一九九〇年、私は東京三鷹のアジア・アフリ

1　Jawaharlal Nehru University は大学院大学．デリー大学（University of Delhi）と並んで首都の2大国立大学．デリー大学は多くの学士課程のカレッジがデリー内に点在し，メインキャンパスには大学院がある．

2　ヒンディー語の英語表記は「tum tumko ho?」となる．

3　gurukul（グルクル）の直訳は師の家系，師の家．古代インドの教育機関としての学校を意味する．現代では，古代インドの教育理念を採用している学校のこと．

図1　ネルー大学事務局棟

カ語学院（図２）で二年間ヒンディー語を学んだ。雪下洋一先生からヒンディー語の文法を基礎からしっかり教えていただいた。語学は基礎が大切。文法理解が確かなら語学は伸びる。当時雪下先生は公私ともに師のナレーシュ・マントリー先生[4]にお仕えしていた。ご高齢だったので、生活全般のお手伝いもされているようだった。インドでは普通のことだが、当時の私にはとても不思議だった。

語学が得意なインド人と三言語教育

インド人は語学が得意とされる。その一因は、インドの子どもたちが学校で母語、英語、第三言語と、三つの言葉を学ぶからではないだろうか。インドでは州や地域によってさまざまな言語が話されている。北インドの学校ではヒンディー語、英語、第三言語としてフランス語、ドイツ語、スペイン語、中国語、ウルドゥー語、日本語などの外国語が選択できる。南インドでは、それぞれの州の言葉、英語、第三言語としてヒンディー語を学ぶケースが多い。

一九九二年、私はタージ・マハルで有名な都アーグラーにあるヒンディー語中央学院に初めて留学した。インド国内外からヒンディー語を学ぶ学生が集まる。ルームメイトのガーヤトリー・マハラージはトリニダード出身。大柄で姉さん肌の彼女は、なぜ留学に来たのかわからないくらいヒンディー語がペラペラ。インドのビハール州からの移

4　Dr. Naresh Mantri．1929 年ボンベイ生まれ．インドの仏教学者．1963 年日印サルボダヤ交友会の交換留学生として法華経研究のため来日．アジアアフリカ語学院講師を務める．1978 年サルボタヤ日印文化センターを設立．

図２　アジア・アフリカ語学院．2013 年に現在の新校舎が完成した．私が通っていた 90 年代は木造の校舎だった

民三世で、ヒンディー語は馴染みのある言葉のようだ。もちろん英語もペラペラ。一方私は、東京で二年もヒンディー語を勉強したのに、話すとなると頭と口の回路がつながらず、まったく言葉が出てこない。もちろん英語はもっと話せない。ガーヤトリーとの公用語はヒンディー語だけ。彼女のスパルタのおかげで一年足らずでかなり流暢にヒンディー語を話せるようになった。切羽詰まれば語学は伸びる。

インドの子どもたちは幼い頃から学校で多様な言語と触れ合う。クラスにはさまざまな母語の生徒が一緒に学ぶことが多い。インド各地に住む親せきとの付き合いは密接で、子どもたちはいろいろな言葉を使ってコミュニケーションをとることに慣れている。このように、言語を勉強ではなく、生活の一部として取り入れる環境がインド人の言語習得力を上達させているのだろう。インドの子どもたちにとって、言葉は読み書きから始まるのではなく、話すことから始まる。

インドの大学――マハーラーニー[5]大学

インドには現在五四の国立大学と四三九の州立大学がある。これらはユニバーシティとよばれ、主に修士、博士課程の学生が学ぶ。ユニバーシティには、学士課程のカレッジが多く所属していて統一試験が実施される。私立大学の数は少ない。国立大学はインド政府からの豊富な資金提供により教育環境が整っているため、州立や私立よりも重

表 1　州立・国立大学数（州立：2021 年 10 月 8 日現在，国立：同年 3 月 31 日現在）．大学数最多上位 3 州と最小 1 校の州

州名	国立大学数	州立大学数	合計
ウッタル・プラデーシュ	6	32	38
カルナータカ	1	34	35
ウェスト・ベンガル	1	34	35
〜	〜	〜	〜
アルナチャル・プラデーシュ／ミゾラム ／メガラヤ／ナガランド／ポンディチェリ	1		1
ゴア／チャンディーガル／ラダック連邦直轄地		1	1

5　Maharani は王妃の意．

要視される傾向がある[6]（図3）。

日本と同じようにインドの高校生も大学進学時には、ヒューマニティ（文系）にするか、サイエンス（理系）にするか悩む。理系のほうが就職には有利なようだ。理系の最高峰インド工科大学[7]（図4）は最難関で倍率も非常に高い。学生はとても優秀で、国内外の企業から青田買いもあるほどだ。

アーグラーで一年間ヒンディー語を学んだ後、「風の宮殿[8]」（図5）で有名な都ジャイプルにあるラージャスターン・ユニバーシティ[9]のマハーラーニー大学に進学した。アーグラーではインド政府奨学金を受けていたので、学費免除、寮費免除、生活費が少々支給された。ジャイプルでの大学三年間は私費で賄った。国立大学のため学費は安く、生活費も安かった。当時の地方都市ジャイプルの市場には生活必需品しかなく、輸入品やぜいたく品は、お金があったとしてもなかなか手に入らなかった。マハーラーニー大学は女子大で、道を挟んだ向かいには男子大のマハーラージャー大学[10]があった。ラージャスターン州にはかつて多くの藩王国があり、現在も末裔のマハーラージャーが存在する。マハーラージャー大学、マハーラーニー大学とは、当地にぴったりの大学名だ。ちなみに、旧習深い社会のため当時両校の交流はゼロだった。インドの女子教育普及率は低い（図6）。現在もラージャスターン州の女子識字率は国内でも低いほうで、三〇年前に大学に通

6　国立大学リスト2021年3月31日現在の詳細は以下リンク（https://www.ugc.ac.in/oldpdf/Consolidated_CENTRAL_UNIVERSITIES_List.pdf）．州立大学リスト2021年10月8日現在の詳細は以下リンク（https://web.archive.org/web/20211016163326/https://www.ugc.ac.in/oldpdf/State%20University/Consolidated%20State%20%20University%20List.pdf）．

7　Indian Institutes of Technology. IITとよばれる．

8　風の宮殿はヒンディー語でhawa mahalとよばれる．

9　Rajasthan university

10　Maharajaは大王の意．

図4　インド工科大学，マドラス校は全国でもトップクラス

えた女子はかなりの幸せ者といえる。当時の学友たちはとても純粋で素直で真面目だった。

私は文系のヒンディー文学、社会学、インド古典音楽シタールを専攻した。学士課程は、通常三科目選択となる。五月の四五度近い酷暑期に、年に一度の期末試験がある。ジャイプルは砂漠の入り口の都。灼熱の陽射しをまともに受けたトタン屋根の教室が試験会場だった。一〇問ほどの短い試験問題の解答を、三時間、暑さも忘れてひたすら書き続ける。少なくとも二〇ページは埋めなければならない。もちろん内容重視だが、書けば書くほど点数は上がる。

インドの大学院――ジャワーハルラールネルー（ネヘルー）大学院大学

ジャイプルで三年間の大学を修了[11]した後、教授に進学先の相談をした。開口一番「デリーに行きなさい」と、学問の質の高い首都デリーにある大学院にいくよう勧められた。自身が教鞭をとる大学を勧めないのは、私の将来を考えてくださってのこと。心から感謝している。大学院入学資格には外国人枠[12]があり、一般よりも高額の入学金を払えば、書類審査のみで入学できる。指定カーストや障がい者などの定員数も確保されていて（図7）、一般よりも入学試験の合格点が低くなる。

私は自分の学力が都会の大学院に相当するか心配だったので入学試

11 大学の学士課程には，Bachelor of Arts（文系），Bachelor of Science（理系），Bachelor of Commerce（商学），Bachelor of Education（教育学）などがある．

12 現在多くの大学で入学者の一定数が確保されている．ネルー大学の場合，後進諸階級（Other Backward Classes: OBC とよばれる）27%，指定カースト 15%，指定部族 7.5%，障がい者 5%の定員数が確保されている．外国人枠は後期博士課程以外は最高 15%まで確保されいてる．詳細は以下ネルー大学ホームページの admission policy を参照．毎年内容が変化する可能性がある（https://www.jnu.ac.in/node）．

図5　風の宮殿

験を受けた。無事ネルー大学のヒンディー語文学修士課程に合格し、ＩＣＣＲ[13]の奨学金も得ることができた。約二〇人のクラスメートは全員男子。実は私はインド人男性が苦手だった。当時の地方都市ジャイプルは、古いしきたりや男尊女卑の傾向が強く、外国人女性としての生活は容易ではなかった。しかしネルー大学の男子クラスメートは皆とても親切で、私と対等に、男女という壁もなく接してくれた。クラスメートたちのおかげで、私のインド人男性の印象はガラッと変わった。

インドの大学院は一般に、修士課程二年、博士課程前期二年、博士課程後期五〜一〇年[14]。修士課程は授業と筆記試験がある。筆記試験は学士課程と同じ様式。博士課程前期も授業と試験があり、二年目に短い論文を提出する。博士課程後期では、教官の指導のもとに研究し博士論文を執筆する。

インドの小学校――同級生と遊べない（図8）

博士課程在学中に私は二児の母になった。インドの親は、子どもが二歳を過ぎると学校探しに忙しくなる。三年間の幼稚園が学校に付属している場合が多いためだ。幼稚園の入学審査は、地域によっては子どもの面接を禁止しているところもあり、子どもよりも親の面接が重視される。希望の学校付属の幼稚園に合格すれば、エスカレーター式

13　Indian Council for Cultural Relations「インド文化関係評議会」は，インドの伝統的な諸文化の海外への紹介，国際的な人的交流の推進，奨学金の支給などを行うインド政府機関.

14　修士課程はMaster，博士課程前期はM.Phil（Master of Philosophy），博士課程後期はPh.D（Doctor of Philosophy）とよばれる.

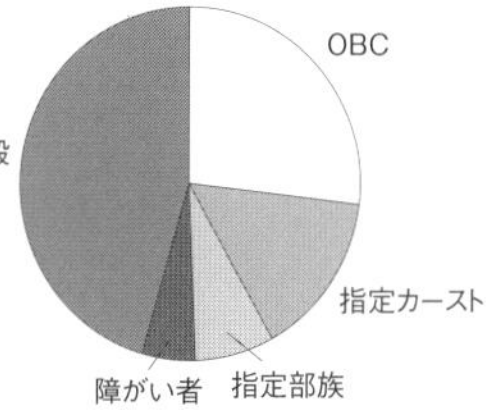

図７　入学者割合・ネルー大学の場合

図６　通学途中の女子学生［小磯千尋撮影］

に高校卒業まで通学できる。

インドは学歴社会で、教育熱心な家庭が多い。私立と公立の学校があり、中流層以上が好む私立校の学費は高額だが、教育言語は英語で、施設や教育環境は整っている。詰め込み式教育や成績重視の学校が目立つが、最近は創造性を伸ばすゆとりある教育を取り入れる学校も増えてきた。

私立校は学区制ではないため自宅から遠く、生徒は保護者の送迎かスクールバス（図9）で登下校する。犯罪防止のためGPS付きのバスも多く、保護者は携帯アプリからバスの位置を確認できる。当然子どもたちは寄り道などできない。同級生の自宅はそれぞれ離れているため、帰宅後や休日に遊びたい場合は保護者の送迎が必要になる。

同級生と気軽に遊べない分、インドの子どもたちは近所の友達や大勢いる同年代の親せきと密接なつながりがある。さまざまな年代や性別の子どもたちと触れ合う中で社会性が身に着く。学校の人間関係だけに縛られない、風通しのよい子ども社会といえる。

インドの子育て——宿題は親と一緒がデフォルト

インドの学校は宿題が多い。しかも子ども一人では到底できないような宿題が出る。親が一緒に勉強するのが当然だからだ。教育熱心な親は、子どもの家庭学習の全責任を担っている。テスト前の時期「う

図8　貴重なコミュニケーションタイム［小磯千尋撮影］

図9　スクールバス［小磯千尋撮影］

ちの子は勉強しなくて困る」などといおうものなら、「病気なのか？」と心配される。親の監視下で怠けて勉強しない状況はありえない。勉強に対する親子の一体感は強く、稀に子どものカンニングの手助けをしてしまう親まで出てくる。[15]

インドの子育てで最も大切にされるのは、コンフィデンス（自信）。インドの子どもたちは自信たっぷりで物怖じしないことが多い。親は幼い頃から「うちの子は凄い」と褒めてもちあげて育てる。「うちの子はできが悪くて」という日本人特有の謙遜は理解してもらえない。なぜそんなひどいことというのかと本気でたしなめられる。インドの子どもたちが堂々と意見を言えるのは、親がいつも褒めてくれるように、みんなも自分の意見を認めてくれると疑わないからだ。

インドの中学高校生——人生を左右する一〇年生と一二年生

日本では、高校受験と大学受験は進学の節目だ。インドでは、一〇年生と一二年生[16]の共通テストが進学を大きく左右する。

インド政府は六歳から一四歳を義務教育の年齢と定めている。インドの学校制度は一二年制で四段階の課程がある。五年（前期初等六～一一歳）、三年（後期初等一二～一四歳）、二年（前期中等）、二年（後期中等）となる。学校教育については主に中央政府が国レベルで提案し、全国教育研究訓練評議会（ＮＣＥＲＴ[17]）が教育に関する政策

15　インド東部ビハール州の学校で，試験に臨む生徒たちにカンニングペーパーを渡そうと，親族たちが建物をよじ登って会場に入ろうとしたことが大きく報じられた．詳細は https://www.afpbb.com/articles/-/3043814.

16　10 年生は日本の高校 1 年生，12 年生は高校 3 年生に相当する．

17　The National Council for Educational Research and Training.

やプログラムの開発に重要な役割を果たす。インドには現在二八の州があり、それぞれに州政府がある。各州には州教育研究訓練評議会[18]があり、NCERTのガイドラインに従いながら実施の上ではある程度の自由が認められている。

インドの学校教育には主に三つの系列がある。多くの私立や公立の学校が、中央中等教育委員会（CBSE）[19]もしくは、インド中等教育認定（ISCE）[20]の授業計画（シラバス）に従っている。CBSEとISCEは一〇年生の終わりと一二年生の終わりに、それぞれの加盟学校で共通試験を行う。一〇年生の試験は一一年生への進学を左右し、一二年生の試験結果は大学進学を左右する。大学の入学資格は、一二年生の試験結果をもとに設定されている。つまり、一二年生の試験結果によって、進学可能な大学が決まってくるということだ。三つ目の系列は比較的少数だが、インターナショナルスクールとよばれる海外のカリキュラムの学校で、国際バカロレア[21]などのシラバスに従っている。

教育環境の格差

下層中流階級以下の子どもたちは公立学校に通うことが多い。ほぼ無料だが、教育環境に恵まれていない学校が目立つ。インド政府による学校教育への支出は非常に低く、非都市部や貧困層の間で初等教育

18 The State Council for Educational Research and Training.
19 The Central Board of Secondary Education.
20 The Indian Certificate of Secondary Education.
21 International Baccalaureate.
22 Right to Education.

の水準を保つことは難しい課題だ。

二〇〇九年に「無償義務教育に関する子どもの権利法」（ＲＴＥ）[22]が成立し、社会的弱者層や社会的不利益層に属する子どもたちが差別による教育の機会を奪われないよう、無償の基礎教育を与えることが政府に義務づけられた。私立や政府の補助を受けている学校は少なくとも二五％、社会的弱者層および社会的不利益層に属する子どもを受け入れなければならないと規定されている。しかし現実にはなかなか進んでいない。経済的格差のある子どもたちが同級生として学校生活を送るのは難しい。保護者も連絡事項等のデジタル化に対応できない場合が多い。インドの義務教育の環境は二極化しているように感じる。

大学院を卒業した私は、日本の絵本や漫画をヒンディー語に訳して出版した（図10）。インドは日本ほど読書が浸透していないので、本を出版してもなかなか子どもまで届かない。そこで、国際交流基金ニューデリー日本文化センターのご協力で、インドの学校生徒向けに朗読会を企画した。朗読会の企画では、私立の生徒たちに比べ、文化交流に触れ合う機会の少ない公立学校の生徒を誘致する努力をした。課外授業扱いとなるため、政府教育機関への許可申請や開催地へのバス手配まで、手続きは非常に煩雑で手間がかかった。苦労の甲斐あって、朗読会に参加した生徒や教師たちはとても喜んでくれた。生徒は

図10　ヒンディー語に翻訳した自著．絵本やまんがを通してインドの子どもたちに原爆やろうを伝えている．かっこ内はヒンディー語の題名の英語表記．「ひろしまのピカ」(hiroshima ka dard)，「さがしています」(main dhoondh raha hun)，「夕凪の街，桜の国」(nirav sandhya ka shahar, sakura ka desh)，「わが指のオーケストラ」(anguliyon ka okestra)

皆素直で、厳しい家庭環境の中で学校に通う子も多く、勉強に対する真剣さが伝わってきた。生活の安定を求めてか、多くの生徒が公務員を目指していた。政府の要職を目指し、国の未来をつくる子どもたちに高質な教育環境を提供することはとても重要と感じている。

［菊池智子］

6 さまざまな宗教、さまざまなお墓
——お墓でみるインド宗教史

タージ・マハルもお墓である

豊かな歴史と文化を誇るインドには数々の素晴らしい文化遺産があるが、誰もが知る最も有名なものといえばやはりタージ・マハル（一六五三年）だろう。[1] これはムガル帝国第五代皇帝シャー・ジャハーンが妻ムムターズ・マハルのために建てた墓廟である。死者のために墓をつくる営みは人類にとってきわめて重要な文化だが、それは時にこれほどに壮麗なものにもなりうるわけである。さて本章の筆者は、近代インド周辺の宗教性を研究しており、インドで英国人がつくったお墓が好きでみてまわっている。そこで本章では、「お墓」から壮大なインドの宗教史の一端を眺めてみたいと思う。

多様性の国インドの多様な宗教

インドは多様性の世界といわれるが、宗教もまた多様である。二〇一一年の国勢調査[2]（センサス）によれば人口順に、ヒンドゥー教（七九・八〇％）、イスラーム（一四・二三％）、キリスト教（二・三〇％）、シク教（スィク教）（一・七二％）、仏教（〇・七〇％）、ジャ

図1　タージ・マハル［アーグラー］

1　タージ・マハルの特別さはさまざまな形でみて取れる．ビル・クリントンは「世界には二種類の人間がいる．タージ・マハルをみて魅了された者とそうでない者だ」と語った．ティム・バートンのSFコメディ「マーズ・アタック！」(1996) では火星人が世界各地の名所で記念撮影をしてはそれを破壊するという不条理シーンがあるが，インドではタージ・マハルがその憂き目にあった．

2　インドの国勢調査は10年ごとに行われるが，最新の宗教人口統計の結果はまだ出ていない．

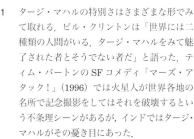

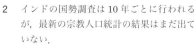

イナ教（〇・三七％）が並ぶ（ほかにその他〇・六六％、無回答が〇・二四％）。この数字だけみても、ことさら宗教的多様性の強い国とも感じられないかもしれない。しかしインドでは、これらの宗教がそれぞれに文化的にも社会的にも強い存在感を示している。そのことを象徴的に示すのが、インドの休日である。連邦政府が必須と規定する二〇二二年の休日[3]をみると、独立記念日などの三つを除くと宗教の祭礼の日が占めており、ヒンドゥー教五日、イスラーム四日、キリスト教二日、シク教と仏教とジャイナ教が一日ずつ並ぶ。インドは「世俗主義[4]（セキュラリズム）」を憲法に掲げる国だが、それはいわゆる「政教分離」とは少々異なるものだ。インドでは、信教の自由や宗教に対する国家の中立を求め、特定の宗教の優遇を否定する一方で、公共の場に宗教が存在感を示すことは否定しないのだ。この休日の構成も、八割を占めるヒンドゥー教から〇・五％にも満たないジャイナ教まで、どの宗教も社会的プレゼンスを示し、尊重されることを象徴的に示すものといえるだろう。

「ヴェーダの宗教」と「外来の宗教」

ではさまざまな宗教はどうインドに出現、展開してきただろうか。ここではあくまで便宜的に、二つの系譜に分けてみてみよう（図2）。

まず「ヴェーダの宗教[6]」の系譜がある。現在内実をたどり得る[5]イン

3　インドの休日は複雑で，暦のずれで各年日付が変わるし，また，州政府や銀行も休日を規定しており，郡指定の休みなどもある．連邦政府の休日にも地域性への配慮があり，規定の休日のほかに，別表から各州で三つずつ指定できるようになっている．

4　世俗主義（secularism）とは一般に，国家や社会が特定の宗教の権威や規範から独立すべきとするいわゆる政教分離原則を示すものと理解されている．しかしその実際のあり方は，フランスのライシテのように公的空間からの宗教性の排除に向かうものもあれば，インドのようなものもあり，実に多様であり，一元的な定義は難しい．

5　ヴェーダの宗教以前，インダス文明の宗教文化も重要だが，文字が解読できていないことから，論じることが難しい．

6　ヴェーダは，神々への讃歌やマントラなどから成る四つの本集《サンヒター》が核だが，ほかにさまざまな付随文献があり，狭義にはこの四つのサンヒターを，広義にはこれら文献群すべてをヴェーダとよぶ．

ド宗教史は聖典ヴェーダに始まる。ヴェーダとは、古代にインドに現れたアーリア系の人々の下で前一二〇〇年頃から成立したとされる文献群である。この「ヴェーダの宗教」は、ヴェーダとその言葉の力で祭式を行うブラーフマン（いわゆるバラモンのこと）の権威を重視することから、近代以降ブラフマニズム（バラモン教）とよばれている。これが長い時間を経てヒンドゥー教へと展開した。この系譜から前六〜五世紀に現れた新宗教が仏教とジャイナ教であり、ヒンドゥー教とはいわば兄弟関係にある。

一方にこの系譜とは別系統のさまざまな「外来の宗教」がある。ヒンドゥーに次ぐ信者人口を占めるイスラームの大規模な流入は、特に一三世紀以降、イスラーム王朝の侵入・定着とともに生じる。ヒンドゥーとは衝突しつつも共存・交流も進み、その中で双方の影響を受けて一五世紀末から一六世紀に新たに成立したのがシク教である。キリスト教の本格的な流入は西洋勢力の進出と共に生じた。また、ペルシアから一〇世紀頃にインドに移住した人々から始まるゾロアスター教徒はパールシー（パールスィー）とよばれ、人口は現在六万人弱とごく少ないが、社会的プレゼンスは小さくない。

こうしてインドでは、ヴェーダに始まる系譜に連なる宗教と、外来の宗教とが入り混じり、時に衝突も起こしながら、今に至っている。

以上、あくまで便宜的に二つの系譜に分けて説明したが、しかし、実

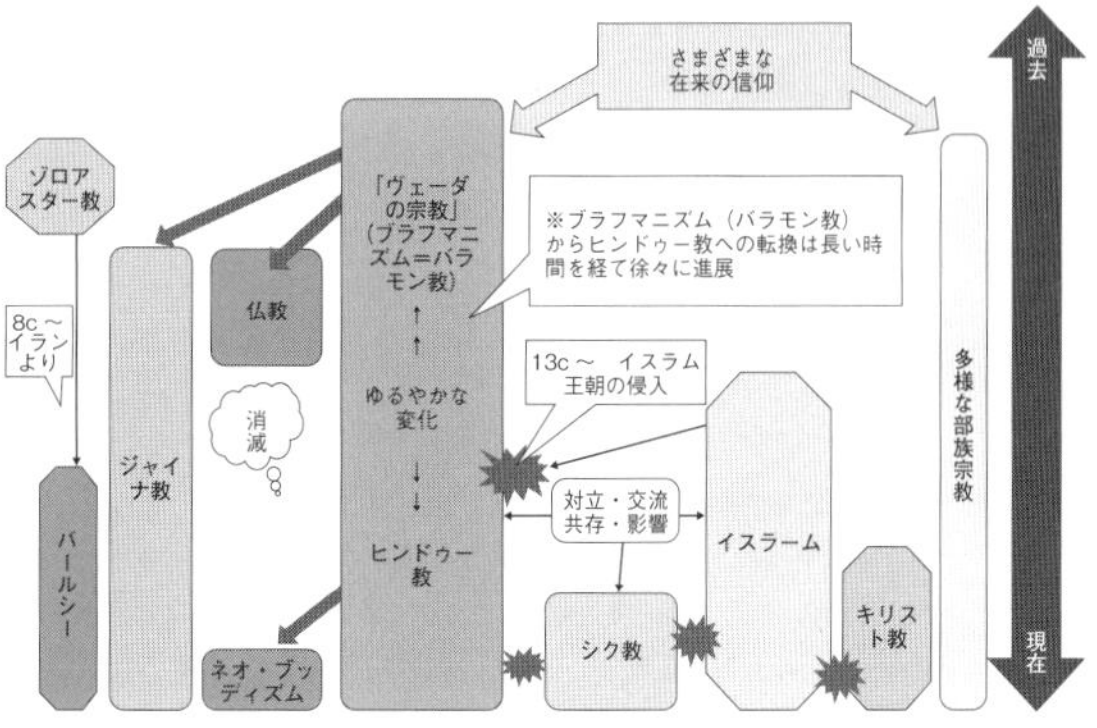

図2　インドの宗教史概観．本図を含め，より詳しくは冨澤かな，2022「7章インドの宗教」島薗進・奥山倫明編『いまを生きるための宗教学』丸善出版を参照

際にはヒンドゥーとかイスラームといった「宗教」の区別や壁を超える信仰や実践もさまざまに見出せるし、[7]そもそもヴェーダの宗教もアーリア系の外来の文化を核に展開したもので、実は在来・外来という区別はごく曖昧な、あくまで理念的なものに過ぎない。さまざまな人と文化が流入しては定着し、それらが交わる中で形成され、常に変容しつつあるものこそがインドであり、その宗教文化なのである。

輪廻か終末か

「ヴェーダの宗教」と「外来の宗教」の系譜の区別はあくまで便宜的なものだが、ただし、「死」に関してはここに一つの境目が見出せる。それは、前者は輪廻を前提にし、後者は終末を前提にしているということだ。その違いに沿うように、弔いでは前者は火葬を基本とし、後者の多くは埋葬を基本とする。

ヒンドゥー教、仏教、ジャイナ教と加えてシク教は、輪廻の概念を共有する。[8]これらの宗教は死をもって魂が肉体を脱すると考え、基本的に遺体を火葬する。一方、イスラームとキリスト教とユダヤ教（わずかながらユダヤ教徒もいる）の、いわゆる「アブラハムの宗教」は、人間はただ一度この世に生まれて死に、その後終末の到来にあたって復活し「最後の審判」を受けると考えるため、その日に備えて遺体をそのまま埋葬することを求めてきた。また、ゾロアスター教[9]も

7　15 世紀の宗教詩人カビールやその影響を受けたとされるシク教の開祖ナーナク，19 世紀の宗教詩人《バウル》のラロン・フォキルやシルディ・サーイーバーバー，また，ムスリムもヒンドゥーも集う聖者廟など，「宗教」の壁を超える思想や実践が幅広く見出せる．

8　インドの輪廻観はごく悲観的なものである．今生の行い，業《カルマ》次第で来世が決まり，卑しい身分や犬や虫にも転生し得るという厳格な因果応報・自業自得のサイクルが無限に続くと考えることは耐えがたく，そこから脱すること，「解脱」が求められるようになったと考えられる．

9　ゾロアスター教では宇宙は善なるアフラ・マズダーと悪なるアンラ・マンユの二元に始まり，善悪の戦いが続いていると考える．悪がすべて滅し完全に善なる世界が実現する終末の到来が待望される．

明確な終末論をもっており輪廻の概念はない。ただしアブラハムの宗教とは違い土葬をせず、また火葬も水葬もせず、沈黙の塔《ダフマ》という施設で鳥葬・風葬して遺体を消滅させる。これは本来清浄であるべき土や水や火を死という悪の要素で汚さないためとされる。

そもそもお墓がないのでは?

このように死の観念と葬法が異なるため、「墓」のあり方も当然違ってくる。一番顕著な違いは、終末に向けて遺体を保つことを意図して墓をつくるムスリムやキリスト教徒と異なり、ヒンドゥーらは基本的には墓をつくらないということだ。ヒンドゥーは、一部の例外を除けば、火葬して遺灰は川に流す。[10] 遺灰を埋めることもあるが基本的に墓はつくらない。兄弟関係にある仏教が広まった文化圏に広く墓がみられるのは、釈迦の舎利をおさめた仏塔（ストゥーパ）を一つの原型に、各地の葬送文化と融合しつつ後に成り立った文化と考えられる。

するとお墓でインド宗教をみるという企画は、ヒンドゥー教やジャイナ教やシク教では頓挫しそうなものだが実はそうでもない。何事にも例外はあるもので、聖者や王などの特別な墓は存在する。そもそも釈迦のストゥーパも、そのような「特別な墓」だったと考えられる。

図3　ムンバイーのダフマの模型［ムンバイーの Dr. バーウー・ダージー・ラード博物館所蔵］. 猛禽類の減少で遺体の消滅に時間がかかるようになったことで, フリーズドライ葬や電気葬で代替すべきとの意見も出ている. 香月法子, 2014「現代ゾロアスター教における鳥葬の現状と課題」宗教研究(87)(Suppl), pp. 484-486

ブッダとストゥーパ[11]

日本の仏教寺院に立つ塔や、お墓に立てる卒塔婆は、インドのストゥーパに由来するものだ。ストゥーパとは、仏舎利、つまりガウタマ・シッダールタの遺骨を納める建築物である。しかしそもそも原始仏教は、自ら目覚め苦を滅し解脱することを目指すもので、死者の供養に強い関心をもってはいなかった。実際ブッダは、弟子のアーナンダに自らの死後の供養について問われるとやらなくてよいと答えたとされる。しかし繰り返し問われたため、転輪聖王[12]の葬法で行えと伝え、その結果、定まった形式で荘重に荼毘に付し、遺骨を壺に納め、ストゥーパをたてて祀ることになったという。葬儀後には、多くの有力者がその舎利を争って求めたため、平等に分配し、それぞれにもち帰ってストゥーパを建てたという舎利八分と一〇塔建立の伝説が『大般涅槃経』など多くの仏典に語られている。北インドのピプラーワーやヴァイシャーリーの遺跡はこの最初の仏塔の跡ではないかといわれてきたがはっきりしない。現存するストゥーパの中で最も完全で古いものとされるのが、有名なサーンチーの、特に第一塔である。

サーンチーのストゥーパ

前三世紀、マウリヤ朝のアショーカ王は、舎利八分でできた仏塔のうち七つから仏舎利を取り出し、新たに八万四〇〇〇の仏塔をつくり

10　聖者や低位カーストや幼児などに土葬の例もあり，また薪が買えないなど何らかの理由で水葬されることもある．

11　仏塔についての記述は以下をはじめ，杉本卓州による研究に多くを負う．杉本卓州，2007『ブッダと仏塔の物語』大法輪閣．

12　古代インドの理想の王を示す観念．転輪聖王が現れると正義と法の象徴たる輪宝が出現・自転し，敵を鎮め世をおさめるとされる．

仏教を広めたといわれる。サーンチーのストゥーパは、その一つをもとに前二世紀末頃に拡大改築したものとされる。お椀を伏せたような形（図4）は日本の寺院の塔とはまったく異なるが、これがインドのストゥーパの基本構造である。この形の由来については諸説があり判然としないが、興味深いのは、中心に心柱がありそれが核になっているとの説である。半球形の仏塔もその核に一本の心柱があるとすれば、姿は違えどその本質はまさに「塔」であるとも考え得る。第一塔がそうであるように、多くのストゥーパの半球形の頂点には、箱状のパーツを挟んで複数の傘《チャトラ》の付いた竿が立つ。土饅頭状にみえるこの建造物にも、やはり中心を確定し天地をつなぐ世界の中心軸、いわゆるアクシス・ムンディのイメージがあるようにも感じられる。

「特別な墓」としてのストゥーパ

仏塔は仏教独特の文化にみえるが、しかし仏典に従えば、その論理は転輪聖王の葬法としてすでに成り立っていたことになる。インドでは仏教成立以前に、おそらく前一〇〇〇年頃までには火葬が一般化しており、そして遺骨を埋葬する場（シュマシャーナ）に墓標を建てる文化もあったとされる。ただしこれは、近寄るべきでない不浄な地として明示するためで、ストゥーパが町の辻などの賑やかな場所に立てられ礼拝供養の対象となるのとは質を異にするものだったと考えられ

図4　サーンチーの第一塔[Bernard Gagnon撮影]．欄楯（ヴェーディカー）という玉垣の内側，円形の基壇の上に半球計の覆鉢《アンダ》が載る．覆鉢の上には箱状の平頭《ハルミカー》がありその上に三重の傘《チャトラ》が付いた傘竿《ユーパ・ヤシュティ》が立つ．覆鉢の途中にも欄楯がめぐらされ，上下二層に礼拝用通路（繞道）が形成されている

ている。[13]とはいえ、仏典が語るストゥーパ供養の様からは、ストゥーパ的な何かを建てて転輪聖王のような特別な存在を供養する文化はすでに存在していた可能性が考えられる。紀元前後のインドでは、ジャイナ教でも聖者らのためにストゥーパがつくられた。筆者の知る限り、古代のジャイナ教ストゥーパで原型をとどめているものはないが、レリーフが示すところでは仏教のストゥーパに似つつも三層の構造が特徴となっている（図5）。時代を下って、おそらく一六世紀以前にできたとされるジャイナ教の僧の墓がカルナータカ州のムーダビドリーに一七基残っている（図6）。興味深いことにそれは東アジアの仏塔を思わせる形をしていて、全体のフォルムは古代のレリーフのそれとは異なるが、かつての層状の構造を保ち発展させたようにもみえる。

イスラーム墓廟建築の展開——聖者廟《ダルガー》からタージ・マハルへ

タージ・マハルを筆頭に、インドには数多くの美しいイスラーム墓廟建築がある。しかしそれはイスラーム世界において当たり前の文化というわけではない。本来のイスラーム思想には、華美な墓石や墓碑をつくることやそこに人々が参詣することを否定する面がある。唯一神信仰に抵触し、偶像崇拝に向かう危険があると考え得るためだ。にもかかわらず、イスラーム世界の各地に霊廟建築がつくられ、多くの人が集まってきた。それはまず聖者とよばれるさまざまな人々（ムハ

13　宇治谷顕，1984「舎利供養・そのII—仏舎利供養について」印度學佛教學研究 32(2)，p. 919.

図6　ムーダビドリーのジャイナ教の墓［Vaikoovery 撮影］

図5　マトゥラー出土のジャイナ教のストゥーパのレリーフ．前1世紀頃［ラクナウ博物館所蔵］

ンマドの血縁者から高名なイマームやスーフィーまでさまざまな存在があり得る）の聖者廟《マザール》から始まり、地域によっては王侯などにも拡大した。インドの美しい墓廟建築は、一〇世紀頃からの中央アジアの聖者廟の展開の影響を受けつつ、デリー・スルタン朝が展開してゆく一三世紀頃から独自の発展をみたと考えられる。デリーを中心に各地に多くの聖者廟（インドではダルガーとよばれる）が成り立ち、[14]それと並行するように王侯の墓廟もつくられていく。古いところでは奴隷王朝のスルターンのイレトゥミシュ（一二三六年没）の墓らしきものなども残ってはいるが、屋根を含め墓廟建築としての形を明瞭にとどめている古い例としては、トゥグルク朝のスルターンの墓、ギヤースッディーン・トゥグルク廟（一三二五年頃）（図7）があげられる。赤砂岩の四角い本体に白大理石のドーム屋根をもつ構造で、以降のインド墓廟建築の基本形をすでに示している。ただしこの廟と後のタージ・マハルとを比べると、全体の構造がぐっと複雑、華麗になっているほかに、一つ誰の目にも明らかな違いがある。それはタージ・マハルは総白大理石製の白亜の建築物であるということだ。タージ・マハルと同じムガル朝の墓廟建築にはほかにもフマーユーン廟（一五七二年）やアクバル廟（一六一三年）など多くの傑作があるが、やはり総白大理石製のタージ・マハルのインパクトは格別のものがある。本来、ドーム屋根の白い墓廟建築はダルガーに固有のものだったと考え

14　ダルガーについては荒松雄『インド史におけるイスラム聖廟』東京大学出版会，1977などの著作のほか，荒を含む東京大学インド史跡調査団の成果によるデジタルアーカイブ「デリーの中世イスラーム史跡」を参照．

図7　ギヤースッディーン・トゥグルク廟［Varun Shiv Kapur撮影］

られている。例えば、重要なダルガーであるアジュメールのムイーヌッディーン・チシュティー廟（図8）やデリーのニザームッディーン廟はともにその様式である。[15] 最初の白大理石製の俗人の墓廟は、ジャハーンギール帝の妃ヌール・ジャハーンの父であった大臣の墓、イティマードゥッダウラー廟（一六二八年）（図9）とされる。美しい建築だが、聖人廟との差異化のためか、ドーム屋根は冠していない。最初の純白のドーム建築の俗人墓廟となったタージ・マハルについて、ムガル建築に詳しい宮原辰夫は「シャー・ジャハーンにとって、ムムターズ・マハルの墓はあくまでも聖者廟《ダルガー》であり、そのために毎年聖者の命日祭《ウルス》を欠かさなかった」[16] と指摘しており興味深い。聖者廟から展開したインド墓廟建築の美しさは、周囲の非ムスリムの慰霊表現にも大いに影響を与えていくことになる。

ヒンドゥーの特別な墓、あるいはそれに近いもの

ヒンドゥーは基本的に墓をもたないが例外もある。まず、聖者などにはサマーディーとよばれる墓がつくられることがある。これはヒンドゥー教のほか、シク教やジャイナ教にもみられるものだ（図10）。ほかに、ジャイナ教で断食死を遂げた人物を記念する石碑、特別な戦死者などのための英雄碑、死んだ夫を追い火葬の火に身を投じ殉死するサティーを行った女性を記念するサティー石（図11）などもみられ

15 ただし現存している墓廟自体はともに16世紀のものとされる.

16 宮原辰夫，2019『ムガル建築の魅力―皇帝たちが築いた地上の楽園』春風社，p.22.

（左より）図8　ムイーヌッディーン・チシュティー廟［Irshadchemical 撮影，https://flic.kr/p/7PL7uw］，図9　イティマードゥッダウラー廟［Muhammad Mahdi Karim 撮影］

る。ただしこれらは通常遺体や遺灰を伴わない記念碑であるため、墓とは言いがたい。また、インドの火葬場は、忌避される一方で時に聖性を認められる場合があるが、特に現代の特例として、ガーンディーが火葬された場であるデリーのヤムナー川沿いのラージ・ガートは、彼を記念する場となり、今も多くの人が集まっている。ラージ・ガート周辺にはほかにもネールーをはじめとする歴代首相たちが火葬された場がそれぞれ彼らを記念する空間となっている。

「チャトリ」の文化――ヒンドゥー王侯の霊廟建築

これらとは別に、もう一つ特徴的なヒンドゥーの「墓」に、ムスリムの墓廟文化の影響のもとで一六世紀頃からラージャスターン周辺の王侯がつくった「チャトリ」という美しい霊廟がある。「霊廟」と表現したのは、これらはサマーディーやイスラームの墓廟とは異なり、基本的に遺体も遺灰もおさめることなく、しかし単なる石碑とも異なる壮麗なセノタフ、つまり空墓だからである。ウダイプルのアーハル（図12）、ビカネールのデーヴィー・クンド・サーガル（図13）、ジャイサルメールのバラーバーグ、ジャイプルのガイトールなどにさまざまな美しい霊廟がみられるが、共通する特徴が、四本あるいはそれ以上の数の細めの柱でドーム屋根を支える東屋のような構造である。これはイスラームの影響を受けて以降のインド建築に特徴的な構成要素

（左より）図10　シク王国の王，ランジート・シングのサマーディー，1848年，ラホール［Muhammad Haider Sajjad 撮影］，図11　サティー石，18世紀，ヴィディシャー，大英博物館所蔵［Osama Shukir Muhammed Amin FRCP（Glasg）撮影］，図12　アーハルのチャトリ群［Nomo 撮影］

であるが、これらの霊廟の多くはこの構造が東屋的な装飾の要素を超えて主要部分をなしている。「チャトリ」の語はこの様式と、その様式で建てられた霊廟の双方を意味する。このチャトリの語源はサンスクリット語のチャトラ、つまりかつて仏塔の頂点を飾っていた「傘」である。傘は、まだブッダの姿の表象がなされず仏像がつくられなかったころ、菩提樹や玉座などとともにその存在の象徴となったものであり、つまり貴人たるブッダの象徴だった。ストゥーパによる弔い自体、転輪聖王という別格の貴人の弔いの形式をならったことになっている。古代の特別な墓たる仏塔と、中近世にイスラーム墓廟建築の影響のもとにできたヒンドゥーの王侯の特別な霊廟が、ともに傘を重要な要素としていることは奇妙な一致である。なお、日本の仏塔では頂上の飾り「相輪」がストゥーパ全体を象徴化するとされるが、筆者の目には、傘の要素はむしろ、屋根が層をなす塔構造全体に引き継がれているようにもみえて、ことさら興味深く感じられる。

英国人墓地の不思議なお墓

インド亜大陸には古来多くの人々が流入してきた。西洋からはポルトガル、オランダ、フランス、そして英国と、多くの国がインドに進出し、墓を残した。彼らとは異なるかたちで渡印したユダヤ人やアルメニア人の墓も各地に残っている。その中でも特に数多く残っている

図 13　デーヴィー・クンド・サーガルのチャトリ群［Gerd Eichmann 撮影］

のはやはり、長くインドを支配した英国人の墓である。

一七世紀からインド進出を進めていた英東インド会社は、一七五七年のプラッシーの戦いでの勝利を機にベンガルを拠点にインド統治を始めた。特に初期は不慣れな気候風土で早死にする者も多く、限られた教会墓地の空間ではカバーしきれず、その結果、ヨーロッパに先駆けて教会外に近代的共同墓地《セメタリー》が形成されることとなる。そこには本国の教会墓地にはなかった多様な墓が立ち並び独特の景観を形成した（図14）。一八世紀のヨーロッパの流行だった新古典主義によるギリシャ・ローマ風の墓、なぜか古代エジプトの建造物オベリスクの形状の墓、ほぼピラミッド状の墓、まるでヒンドゥー寺院のような墓（図15）、イスラーム霊廟風の墓（図16）と、実にさまざまである。数メートルの高さに及ぶ巨大なものも多い。一八世紀のヨーロッパでは新たな墓地文化の模索が始まりつつもいまだ実現は進んでいなかったが、インドではそれがヨーロッパに先んじて、独自に展開したのである。

そこには高い死亡率などの要因とともに、インドの、特にイスラームの墓廟文化の影響があったと考えられる。最もわかりやすくそれを示す例が、マラータ王国軍に協力して働きアーグラーで没したオランダ人、ジョン・ウィリアム・ヘッシングの、小さな赤いタージ・マハルの姿の墓である（図17）。また、タージ・マハルのインパクトを示

図14　カルカッタ（現・コルカタ）のサウス・パーク・ストリート・セメタリーの景観

図15　同墓地のチャールズ・「ヒンドゥー」・スチュワート（1828年没）の墓

図16　ジョブ・チャーノックの墓廟（1695年建立，セント・ジョン教会，コルカタ）

すもう一つの例として、墓ではないものの、一九〇一年に亡くなったヴィクトリア女王を記念してつくられ一九二一年に竣工したヴィクトリア・メモリアル（図18）もあげられよう。その姿にはタージ・マハルへの強い意識が感じられる。インドの英国人墓地には、タージ・マハルをはじめとするインドの墓廟やその他の建築物の強いインパクトと、古代ギリシア、ローマ、エジプト、イタリアルネサンスその他のさまざまなイメージの重なりに、インド人職人の技が結びついてできた不思議で魅力的な慰霊表現があふれており、興味がつきない。[17]

インドのお墓の過去と今

インドの多様な墓には、それぞれの宗教、文化、歴史とともに、現在のインドの姿も時に垣間見える。英国人墓地は、独立インドでは墓を守る世代を現地にもたない、いわば「不要な墓地」であり、撤去されたり、荒廃しているものも多い。その中には、崩れた墓石を利用して人々が暮らす墓地や、教会敷地内に大切に保存されながら、一部が教会学校の柱になり子どもたちに囲まれている墓石もあった（図19・図20）。また、不動の地位を誇るかに見えるタージ・マハルだが、二〇一七年にウッタル・プラデーシュ州がつくったガイドブックにはなんと掲載されなかった。同州の首相であるＢＪＰ（インド人民党）のヨーギー・アーディティヤナートはヒンドゥー僧侶でヒンドゥー至

17　冨澤かな，2022「オベリスク型墓石のグローバル・ヒストリー―インドの英人墓地からの試み」地中海学会月報 451，p. 4.

図 18　ヴィクトリア・メモリアル（コルカタ，Ankur Panchbudhe 撮影）［https://flic.kr/p/Dg1ESw］

図 17　ヘッシングの墓（1803 年頃建立，アーグラー）

上主義的な姿勢で知られる。彼はイスラーム建築であるタージ・マハルはインド文化を代表するものではないと発言したことがあり、このできごとにもその意図が反映したものとみられている。さまざまな墓は、それぞれの歴史を刻みつつ、インドの今の姿も映し出しているのである。

［冨澤かな］

図19　英国人の墓石を利用した住まい（ムンゲール）

図20　英国人の墓石が柱状に組み込まれている教会学校（ラームナータプラム）

コラム 2

メヘンディーと女の人生

目を覚ますと、朝の六時三〇分。ニューデリー・ハヌマーン寺院の広場に集ったメヘンディー描きたちの多くはまだ毛布にくるまって、束の間の夢をみている。今日はカルワチョート（カルワーチャウト）当日。すでに日は昇っていて辺りは明るい。クラクションの音が鳴り、街が少しずつ動き出している。ぽつりぽつりとメヘンディーを求める客が現れて、今日も騒がしい一日が始まる。

メヘンディーとは、ミソハギ科の低木であるヘナ[1]の葉を利用して、肌をさまざまな模様に染める身体装飾である。メヘンディー描きたちは、ヘナのペーストを客の手や足の上に絞り出して、さまざまな模様を描き、肌を美しく染めあげる。ここデリーでは、メヘンディーを楽しむのは主に女性たちだ。私は文化人類学を専攻する大学院生で、研究のためデリーでメヘンディー描きの家族と寝食をともにし、働いているのだ。ママと長女のミーナクシー、次女のラヴィーナとともに、毎日メヘンディーを描いている。多くのメヘンディー描きが集まるハヌマーン寺院の広場の一角で客引きをしながらメヘンディーを描くのが基本だが、婚礼や祭事に合わせて客の家に赴くこともある。

1　学名：Lawsonia inermis.

図1　カルワチョート前日，広場は女性客でいっぱいだ［2016 年 10 月，筆者友人撮影］

カルワチョートとよばれる祭りの前の数日間から当日にかけて、ハヌマーン寺院の広場はメヘンディーを求める女性たちでごった返す。一年の中で最大の稼ぎどきだ。客足は深夜まで絶えることなく、メヘンディー描きたちはこの好機に遅れを取るまいと徹夜でメヘンディーを描き続けるのだ。

「メヘンディー、いかが！」

「ほら！　もっと声出して客引きしな！」

「あの客は、最初に手と足で六〇〇ルピーずつ払うと約束したのに、手も足もやって六〇〇ルピーだといいやがったよ！　なんて客だ！」

そんなママの声とともに、私もミーナクシーもラヴィーナも必死でメヘンディーを描き続ける。値段も、普段の一〇倍ほどだ。次々と目の前に差し出される手、手、手。あと何本の手を装飾すれば終わるのだろう。綺麗なメヘンディーを描きたい、とゆっくり丁寧に描いている私にママは「もっと速く描け！」と檄を飛ばす。そんなママは、毎回速く雑にメヘンディーを描きすぎて客が激怒し大げんかになっている。ママは、インドで経済的に最も貧しいと言われるビハール州から幼少期にデリーにやってきて、子供の頃からずっと広場でメヘンディーを描いてきた。人生の大半を路上で過ごし、したたかに強く金を稼いで人生を切り拓いてきたのだ。

広場には端から端まで、たくさんのメヘンディー描きがいる。みな

図2　カルワチョート前々日，深夜にも客はやってくるのだ［2016年10月深夜］

顔見知りだが、ライバルでもある。カルワチョートの深夜、睡魔に敗れて力尽きたメヘンディー描きたちから、どんどん毛布にくるまって眠りに落ちてゆくのである。周りのメヘンディー描きたちが次々と力尽きてゆくなか、ママは爛々と目を輝かせていた。「寝るなんて、もってのほか。その間に私が客をいただくよ」というその言葉のとおり、ママは数日間、一睡もせずメヘンディーを描き続けていた。

カルワチョートは、北インドのヒンドゥー教徒が祝う祭りで、既婚女性が夫の健康と長寿を願うための日だ。満月の四日後に行われるこの祭りのために、女性たちはメヘンディーで手を美しく染め、お菓子を用意し、銀の皿や粉ふるい、壺などを豪華に飾り、準備をする。当日は新しい服を着て、日の出から月をみるまで断食をすることで、夫の健康を願うのだ。

カルワチョートのメヘンディーは、年配になってくると「とりあえず何かメヘンディーが描かれていればよい」という感じらしいが、新婚の女性にとっては何よりも重要だ。結婚後初めてのカルワチョートではどれだけ美しいメヘンディーをしているか、みながその手に注目するのである。そのため、カルワチョート前のハヌマーン寺院広場では、気に入らない模様を描かれた新婚女性がメヘンディー描きに激怒している様子をしばしば目撃する。自らの身体をもって、美しいメヘンディーとともに断食をするという行為でいかに夫を愛しているかを

図3　カルワチョート前日，客にメヘンディーを描くミーナクシー［2016年10月］

図4　カルワチョート当日の早朝，力尽きたメヘンディー描きたちが寝ている［2016年10月］

表す祭りなのだから、汚い模様を描かれたらたまったものじゃない。客もまた、必死なのだ。

　メヘンディーを描かれながら、女性たちは新婚生活の愚痴をこぼす。

「結婚する前に彼に会ったのは、たったの一〇分。彼は辛いものが大好きで、私は辛いものが嫌い。彼は肉が大好きで、私はベジタリアン。見合い結婚って、こういうことなのよ。親が決めた知らない夫、そして知らない家に嫁いでいくの。綺麗に描いてね、嫁ぎ先のみんなが私のメヘンディーをみるんだから」

花嫁のメヘンディー

　結婚といえば、メヘンディーは「メヘンディー・キ・ラート（メヘンディーの夜）」という婚礼前日の儀礼で女性を「婚約者」から「嫁」へと変える役割をもつ。婚礼前日に入れる花嫁のメヘンディーの模様には花婿のイニシャルが入れ込まれ、花婿は初夜にベッドの中でメヘンディーで染められた花嫁の肌をたどって自分のイニシャルを一つ一つ探し名前を完成させる、という慣習があるのだ。北インドでは見合い結婚が主流であり、この慣習を通してあまり知らない結婚相手とも仲を深められるそうだ。そして、文字どおり花婿の名前を肌に染めることによって、「この男の嫁」であるということを身体に染めるのである。

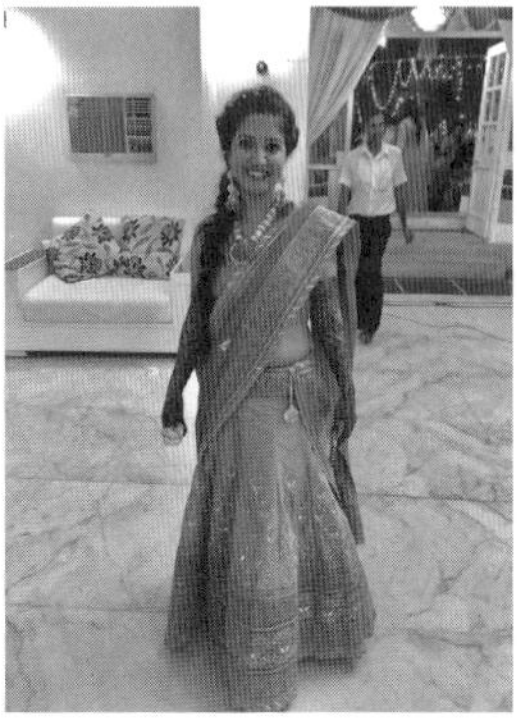

図5　メヘンディー・キ・ラートの花嫁［2016年10月］

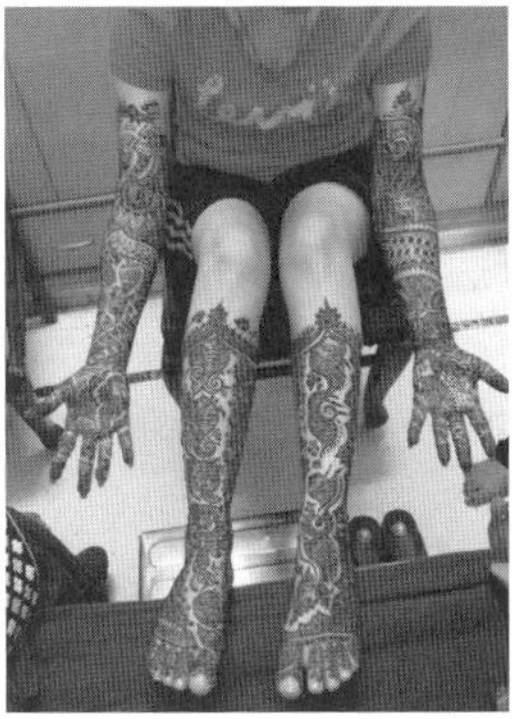

図6　花嫁のメヘンディー．右腕関節あたりに夫のイニシャルであるPの文字が見える［2015年11月］

メヘンディーを染める理由

カルワチョートでも、メヘンディー・キ・ラートでも、儀礼において身体にメヘンディーを染めることと、そこに期待される「夫の健康」や、「嫁になる」という観念は深く結びついている。儀礼におけるメヘンディーには、「夫の存在」を前提とし、女性の身体を従属的なものとして表現する側面がある。

しかし、それだけではない。女性たちは、自ら装いたいように、自分らしい自分でいるための装飾としてもメヘンディーをするのだ。

ある日、広場にいつもいる掃除屋のおばさんが、ママのところにやってきた。ママは、「ユキノ、描いてあげて。この人は友達だから」といって、彼女は一〇ルピーだけ払った。彼女のゴツゴツした手の平に、花柄のメヘンディーを描いた。その後、彼女は嬉しそうに仕事に戻ったが、掃除のためにすぐにメヘンディーを洗い流さなくてはならなかった。彼女があまりにすぐに洗ってしまったので、色がきちんと染まるか心配だった。次の日、また広場で掃除をしている彼女に会った。彼女は、ニヤリとしながら、手のひらをみせてきた。きちんと染まっている。「とっても、可愛い！」彼女はそういって、またニヤリと笑い、仕事に戻っていった。

メヘンディーが手にあるだけで、一日を幸せな気持ちで過ごせる。メヘンディーは、自分のためのおしゃれ、いわば女性の身体の主体性

図7　手の平にメヘンディーを染めた掃除屋のおばさん［2016年10月］

をも表すのである。

同じメヘンディーを肌に染め美しく装うという行為でも、女性の身体を夫ありきの従属的なものとしたり、はたまた主体的な自己を表現し自信をもたせたり、相反する身体のあり方をメヘンディーは表現するのである。

メヘンディーは、女の人生と深く結びついている。そんな女の人生とともにあるメヘンディー描きたちもまた、毎日を必死に生き抜いている。

はじめての「一人出張」

カルワチョート前のある夕方、ママがいきなり「ユキノ、今から近くの家でメヘンディーを描く出張があるから、行ってきて！」と、私に向かっていった。私は驚いた。ママやミーナクシーと一緒に出張に行くことは多くあるが、たった一人での出張なんて、経験がない。言語の不安、頼れる人がいない不安、安全面での不安……さまざまな不安が押し寄せる。ママは、「大丈夫、大丈夫！　ラヴィーナもミーナクシーも手一杯だから、ユキノに頼んでいるんだ。一人で行ってきて。もう慣れているでしょう！」という。ラヴィーナも、ミーナクシーも、「行ってらっしゃい！」といって、一緒には来てくれないようだ。本当に、一人で出張に行くことになった。しかし、私一人に出

図8　朝，広場で準備をするママ［2016年11月］

図9　左からミーナクシー，ママ，ラヴィーナ，筆者，後ろはパパ［2016年10月，家族撮影］

張を任せてくれるようになったなんて、感慨深い。迎えにきてもらった車で、出張先の家に向かう。

出張先での約束の代金は総額一五〇〇ルピーで、足もやってくれたら追加料金を払うという言葉を信じ、多くの人にたくさんのメヘンディーを描いた。時間はかかったがみな喜んでいて、私も嬉しかった。

「なんだ、何の心配もなかった。一人で出張をこなせたぞ」と、少し誇らしい気持ちだった。約束の代金をもらおうとしたその時、謎の男が現れた。男は、「うちはニューデリー警察の関係者だ。お前のママは私たちの支配下にあるのだ」と値下げを迫ってきたのである。そんなのおかしい、と粘ったが、結局、足のメヘンディーの追加料金もなく、当初の約束よりずっと安い一一五〇ルピーしか払ってもらえなかった。やっぱり、そう上手くはいかないのである。私は負けた。このデリーでメヘンディー描きとして生き抜いてゆくには、私はまだまだなんだ、と痛感した。ママだったらこんな時、大げんかして、その上ぼったくり返して、当初の代金より多くのお金をもらって帰るだろう。

心なしかしんなりした一一五〇ルピーをポケットに入れ、しょんぼりと広場に帰った。ミーナクシーとラヴィーナが、「なんでこんなに遅かったの？！」と怒っていたので、事情を説明した。「あの人たち

図 11　カルワチョート前日のママの店，筆者もメヘンディーを描いている［2016 年 10 月，筆者友人撮影］

は払うと約束したのに！」と私が半泣きで言い訳をしていたら、ミーナクシーはまるで赤ちゃんにするように、私の背中をポンポンとさすって、慰めてくれた。「次の客が来るよ、もっと稼ごう！」
まだまだ、夜はこれからだ。差し出される手を前に、新婚女性たちの愚痴を聞きながら、明るい月の下でメヘンディーを描き続ける。

［長井優希乃］

図12　カルワチョート前々日，メヘンディーの模様に満足そうな新婚女性［2016年10月深夜］

7

インドの文学——ウルドゥー文学の今

インドに留学中だった二〇一八年のある夜のこと。同じ学生寮に住む女子学生が筆者の部屋を訪ねてきた。いつもならば、顔を合わせるや否やここぞとばかりにしゃべりまくるはずの彼女が、この日はやけに大人しく、なんだか居心地が悪そうにしている。不思議に思った筆者がその訳を尋ねると、彼女は少しはにかみながら「お願いがあるの」といって、部屋に来た理由を話し始めた。それによると、彼女にはお付き合いをしているイスラーム教徒の男性がいて、ガーリブやミールの詩が好きなので、彼にローマ字表記で読めるおすすめの本を紹介してほしい、というのである。彼女のいつもとのギャップを微笑ましく思いながら、筆者の心は複雑だった。「ローマ字表記で書かれたウルドゥー語[1]の詩[2]の本を紹介してほしい」という彼女の言葉に、インドにおけるウルドゥー文学の現状を突き付けられた気がしたからである。本章では、そんなウルドゥー文学の「現在《いま》」について紹介したい。

1　ウルドゥー語はパキスタンの国語であると同時にインドの22の指定言語の一つに定められており，ジャンムー・カシミール，ウッタル・プラデーシュ，ビハールの北部諸州と南部のアーンドラ・プラデーシュ州などを中心に約6200万人（2011年の国勢調査による）の母語話者をもつ．

2　ガーリブ（1797-1869）とミール（1723-1810）はウルドゥー語を代表する詩人．なぜ「ローマ字で書かれた」必要があったかは後述．

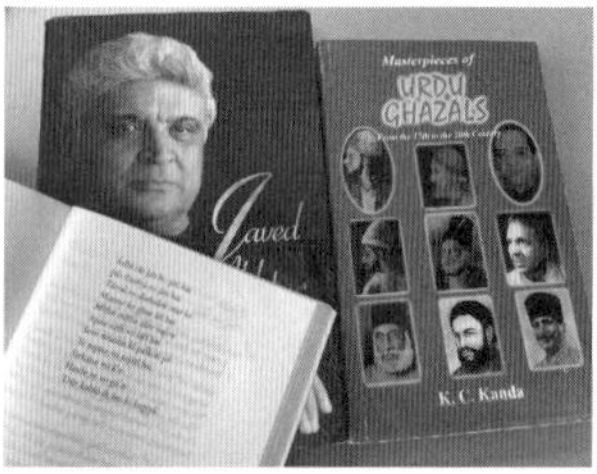

図1　ローマ字表記で書かれた詩集

ウルドゥー語の輪郭

まずは簡単にウルドゥー語とその文学について概観する必要があるだろう。ウルドゥー語の発生は、イスラーム教徒が西方からインドへ侵入した一三世紀頃にさかのぼるとされる。その当時デリー周辺で話されていた「カリー・ボーリー」とよばれる言葉に、西からやってきたイスラーム教徒たちの言語であったペルシア語、そしてペルシア語を介してトルコ語やアラビア語などの語彙が混入して成立し、ムガル帝国時代[3]にインド亜大陸のほぼ全域における共通語として機能するに至った。やがて、話し言葉から書き言葉（アラビア文字を採用）へと標準化が進み、文学語として使用され始めたのは一八世紀に入ってからのことである。一八世紀から一九世紀にかけて、ムガル宮廷や貴族たちの庇護のもとウルドゥー文学、その中でも特に韻文学が円熟期を迎え、優れた詩人が多数輩出された。

ウルドゥー文学の神髄、ガザル

ウルドゥー文学の特徴として、韻文学が非常に盛んな点が挙げられる。そして、数ある詩のジャンルの中でも不動の人気を誇っているのが恋愛抒情詩ガザル[4]である。ガザルこそウルドゥー文学の神髄であるといっても過言ではない。そのため、昔も現在も多くのガザル詩集が出版されている。しかし本来、ガザルをはじめとするウルドゥー語の

3　1526年にバーブルによって創始されたイスラーム王朝．17世紀頃にはインドのほぼ全域を支配したが，1857年にインド大反乱が起こり，英国の植民地となった．

4　アラビア語の古典的な詩形であったが，南アジアでは主にペルシア語とウルドゥー語の重要な詩形として発展した．恋愛詩といっても愛の喜びが詠われることはなく，冷淡で決して想いを受け入れてくれない相手（一般的に女性）に対する詠み手（一般的に男性）の一方的で激しい恋心と悲痛な想いが詠われる．形式としては，一対の半句（ミスラ）から成る詩句（シェール）数行で構成され，第一詩句の両方と，残りの後半句すべてがリフレーンと，押韻語をもつ．

詩は詩集をひもといて「読む」ものではなく、「ムシャーエラ」とよばれる詩の朗誦会で「聴く」ものであるとされてきた（図2）。ガザルは韻律やリフレーンを多く含むことから、音楽的な要素も多分にも ち合わせており、ムシャーエラでも詩をまるで歌うかのように詠みあげる「タランヌム」とよばれるスタイルが好んで用いられてきた。こうした特徴もまた、ガザルが好まれる理由といえる。

二〇世紀のインドにおけるウルドゥー語の状況

一八五七年のインド大反乱[5]を経て英国の植民地となったインドは、一九四七年にインド共和国とパキスタン・イスラーム共和国に分離して独立を果たした。すでに述べたように、ウルドゥー語は一九世紀までインド亜大陸の広範な地域に住むあらゆる宗教の人々に話されていたが、アラビア文字を採用している点にも表れているように、特にイスラーム教と密接な関係を維持していた。しかし植民地時代、英国の分割統治政策[6]によってウルドゥー語のもつ「インド亜大陸における共通語」という特徴は排除され、「ウルドゥー語＝イスラーム教徒の言葉」という認識が強まっていった。そして分離独立時、パキスタンがイスラーム教を国家統一理念に掲げて独立したことから多くのイスラーム教徒がパキスタンへ移住すると、ウルドゥー文学の中心もまたパキスタンへと移った。一方、分離独立後のインドではウルドゥー語

5　1857 年に英東インド会社の支配に対して，インド人が起こした反乱．これをきっかけに英国はインド帝国を樹立し直接支配を開始した．

6　宗教やカーストなどで明確に分けて互いに対立させて連帯性を弱め，独立運動を阻止しようとした政策のこと．

図 2　19 世紀のムシャーエラの様子［筆者所有の細密画の複製：オリジナルは Purani Dilliwaley, Changezi Archive］

の影響力は次第に衰えていった。こうした背景には、独立後のインドで教育や行政の言葉として確固たる地位が得られなかったことや、「ウルドゥー語＝イスラーム教徒の言葉」という概念がより強固になっていったことなどが影響していたと考えられる。やがて、二〇世紀後半のインドにおいてウルドゥー語は「死にゆく言語」といわれるまでに衰退していった。[7]

ガザル・ブームの到来

文学の中心はパキスタンに移ったものの、一九七〇年代初頭以後、ジャグジート＆チトラー（図3）や、パンカジ・ウダース、アヌープ・ジャローターといったガザル歌手たちの登場により、コンサートやレコードを通じてかつてないほどのガザル・ブームがインドに巻き起こった。さらに、映画の挿入歌として多用されたこともガザルの人気を高めた。こうした中で、ある変化が起きた。旧来の古典ガザルで用いられていた難解な語彙ではなく、日常会話で用いられる平易な語彙が使われるようになったのである。実は、北インドを中心に多くの話者をもつヒンディー語とウルドゥー語は姉妹言語とよばれ、文法的には同一の言語である。さらに、文字や難解な語彙[8]に違いはあるものの、平易な語彙には共通するものが多く、日常会話レベルでは意思の疎通に何ら支障はない。「ヒンディー映画」と称される大衆映画がパ

7　インドにおけるウルドゥー語の衰退を題材に書かれた小説に，アニター・デサイ『デリーの詩人』（原題：*In Custody*）高橋明訳，めこん，1991がある．また，原著の *In Custody* は1994年に同タイトルで映画化されている．

8　文字の面ではウルドゥー語はアラビア文字，ヒンディー語はデーヴァナーガリー文字を採用している．難解な語彙については，ウルドゥー語はペルシア・アラビア語系の語彙が多くなり，ヒンディー語はサンスクリット系の語彙が多くなるという違いがある．

図3　ジャグジート＆チトラー［©Jagjit-Chitra Singn］

キスタンでも人気を得ていたり、ウルドゥー詩であるガザルが「ヒンディー映画」の挿入歌として使用されているのもそのためである。しかし、ひとたび難解な語彙を用いたり文字に書き起こしてしまうと、途端に意思の疎通が困難になってしまう。ヒンディー語とウルドゥー語は、何とも微妙な関係にある言語なのである。

こうして、「平易な語彙」を用いた「歌謡」という形をとり、ヒンディー語とウルドゥー語を隔てる「文字」と「語彙」の違いを克服したことで、ガザルはより多くの人々に親しまれるようになった。こうした観点からみれば、「死にゆく言語」や「イスラーム教徒の言語」[9]といわれながらも、実はウルドゥー文学を愛好する階層は現在のインドにおいても広範囲に及んでいると推察される。

さらに近年、インドではウルドゥー語・文学に関するさまざまな取り組みが行われ、注目を集めている。その一つが、二〇世紀初頭に一度伝統が途絶えたウルドゥー語の話芸、ダースターンゴーイーの復活と発展のために活動する「ダースターンゴーイー―再発見されたウルドゥー語の話芸[10]（以下、ダースターンゴーイー）」である。

失われた話芸、ダースターンゴーイー

ダースターンゴーイーとは、「ダースターン」とよばれるジャンルの物語（ロマンス、伝奇物語）の語り聞かせを行うウルドゥー語の伝

9　留学中，筆者が初対面のインド人に「ウルドゥー文学を勉強しています」というと決まって，「あなたはイスラーム教徒ですか？」という返事が返ってきた．現代のインドではそれほどまでに「ウルドゥー語＝イスラーム教徒の言葉」という概念が強くなっている．

10　“Dastangoi- The Re-discovered Art of Urdu Storytelling”（http://www.dastangoi.com）．『アラビアン・ナイト』などもダースターンにあたる．

統的な話芸をさす。冒険や戦い、恋愛を主なテーマに構成されるダースターンには、妖術使いや魔人、妖精、変幻自在に姿を変えて主人公を騙そうとするペテン師や詐欺師、オウムに姿を変えられた皇子さま、空飛ぶベッドなど、超自然的な空想の世界が描かれる（図4・図5）。まだテレビや映画といった娯楽がなかった時代、「ダースターンゴー」とよばれる物語師によって語られるダースターンに耳を傾けることは、人々にとって余暇を楽しむための重要なエンターテイメントであった。そのため、人々を驚かせ、興味をかきたてるような奇想天外なダースターンが数多くつくられた。そして、物語師たちはこうした物語を表情や声色を変え、身振り手振りを交えながら聞かせることで聴衆を物語の世界へ引き込み、魅了していたのである。ウルドゥー語によるこの話芸がいつインドに定着したかはわかっていない。しかしさまざまな文献から、少なくとも一九世紀には北インドのあらゆる階級の人々に親しまれていたことがわかる。それらによると、裕福な人々はお抱えの物語師を雇って自宅でダースターンゴーイーの宴を開き、また毎週木曜日の夜に街角で開かれる語り聞かせには、何百もの聴衆が集まったという。

　しかし二〇世紀に入り、舞台演劇や映画、テレビといった新たな娯楽が主流になっていくと、ダースターンゴーイーの人気は次第に衰え、最後の物語師ミール・バーキル・アリー（一九二八年没）（図6）

図4　ダースターンの世界観［Tansukh Rā'ē, 1888, Qiṣṣah-yi Ḥātīm Ṭā'ī manẓūm, Lakha'ū: Navalkishor］

図5　ダースターンの世界観［http://www.dastangoi.com］

の死とともに、その伝統は絶えてしまった。

ダースターンゴーイーの復活

一度伝統が途切れてしまったこの話芸を現代に復活させ世間に広めたのが、二〇〇五年からデリーで活動するダースターンゴーイー集団「ダースターンゴーイー」である。ダースターンに魅了されたウルドゥー文学批評の碩学、故シャムスッラフマーン・ファールーキー（図7）と、その甥で物語師としてこのグループを牽引するマフムードゥッラフマーン・ファールーキーの尽力によって復活を果たしたダースターンゴーイーは、現在ではインド国内はもとより、パキスタンやスリランカといった南アジアの国々、そしてインドからの移民が多い米国や英国などでも公演が行われている。この話芸復活のために活動を開始した当初彼らが懸念していたことは、この古いアート形式がはたして現代の人々に受け入れられるのだろうか、ということであった。しかし彼らの心配とは裏腹に、約七五年の時を経て蘇ったこの伝統芸術は二一世紀の聴衆の目にはかえって新鮮なものに映り、各地で好評を博している。

さらに、物語師になりたいと彼らの門を叩く者も次々と現れ、後継者育成も積極的に進められている。志願者には若年層が多く、イスラーム教徒以外の人も多く含まれている。加えて、旧来の伝統では物

図6　ミール・バーキル・アリー［©Rashid Ashraf］

図7　ウルドゥー文学批評の碩学，故シャムスッラフマーン・ファールーキー（右）と筆者

語師は男性のみに限定されていたが、現代に蘇ったダースターンゴーイーでは女性も起用するなどの変化が取り入れられている（図8・図9）。

上演作品にも工夫がされており、古典的な作品に加えて『不思議の国のアリス』や『星の王子さま』といった子ども向けの作品やインドの民話や文学作品が翻案・上演されたり、歴史や社会問題、時事問題などをテーマとした新たなダースターンが創作・上演されている。古典作品では難解なウルドゥー語が使用されていたが、こうした新たな翻案や創作作品では日常会話で使われれるような平易なウルドゥー語が用いられている。こうした工夫もまた、ダースターンゴーイーの人気の理由となっているものと思われる。

ウルドゥー語・文学の復興と発展をめざして――レーフタ財団

ガザルがウルドゥー語を母語としない人々をも魅了してきたことはすでに述べたとおりだが、そのうちのひとりであり実業家でもあるサンジーヴ・サラーフによって二〇一二年、デリーに創設されたのが「レーフタ財団」[11]という、ウルドゥー語・文学、そしてそれを取り巻く文化全体の再興と促進をめざす財団である。

11　レーフタとは北インドのデリー周辺の方言にアラビア語，ペルシア語からの語彙が多く混合した言語の呼称．ウルドゥー語の初期の呼称の一つ．

図8　ダースターンゴーイー上演の様子．演じているのは，マフムードゥッラフマーン・ファールーキー［http://www.dastangoi.com］

図9　女性の物語師によるダースターンゴーイー上演の様子［http://www.dastangoi.com］

レーフタ財団の活動①　「レーフタ」ウェブサイト

この財団の活動は多岐にわたるが、その中でも特に精力的に行っているのが、「レーフタ」[12]ウェブサイトの運営である。これは、二〇一三年一月に公開されたウルドゥー語・文学に関する世界最大のウェブサイトで、主にウルドゥー語の詩や詩人についてウルドゥー語、ヒンディー語、英語の三言語で検索することが可能になっている。その他、個人や公共図書館、大学図書館などの蔵書を対象とした書籍のデジタル化作業をインド中で展開し、ウェブ上で公開している。[13]

従来、インドで文献を探すということは非常に骨の折れる作業であった。日本のようにしっかりした蔵書検索システムはなく、現地に赴いて蔵書カードを頼りに所在を確かめなければならなかった。そのため、現地へ行くまでお目当ての本がみつかるかどうかわからなかったし、行ってみたのはよいものの、蔵書カード自体がきちんと整備されていないということもあり、そうなると最終手段として灼熱の図書館にこもって汗と埃にまみれながら、書架に並んでいる本を一冊一冊確かめるしか方法はなかった（図10）。しかし、このウェブサイトの登場によって、冷房の効いた日本の自室にいながら何万冊という本を無料で閲覧することが可能となったのである。

12　https://www.rekhta.org.

13　2022年1月現在，11万2000冊以上の本がこのサイトで閲覧可能となっている．

図10　インドの図書館

レーフタ財団の活動②　文字学習サイト「アーモーズィシュ」

ウェブサイトにおける三言語検索の例にも表れているように、非母語話者がウルドゥー文学にアクセスする上で大きな壁となる「文字」と「語彙」の問題を克服しようとする試みを行っている点においても、この財団の活動は注目に値する。その一つが、ウルドゥー文字と語彙の学習サイト「アーモーズィシュ」[14]の運営である。コースには文字を学ぶコースと語彙を学ぶコースの二つがあり、これまでに約一四万人が登録している（図11）。

レーフタ財団の活動③　「ジャシュネ・レーフタ」の開催

これまで紹介してきた活動は、主にウルドゥー語を母語とする人や専門的に学ぶ人、またはすでに興味関心をもつ人に対して有効なものであった。しかしそれ以外の、広く一般の人々を対象にウルドゥー語・文学の魅力を発信するという観点から注目したいのが、世界最大のウルドゥーの祭典「ジャシュネ・レーフタ」[15]の開催である。

この祭典は二〇一四年から毎年、レーフタ財団の本拠地であるデリーで三日間にわたって開催されている。内容としては、ウルドゥー語の著名な作家や詩人、研究者を招いたパネルディスカッションのような専門的なものから、ムシャーエラやガザルなどのコンサート、演劇、ダースターンゴーイーの上演など、一般客が楽しめるものまでさ

14 https://aamozish.com.「アーモーズィシュ」は，ウルドゥー語で「学習」を意味する.

15 https://jashnerekhta.org.「ジャシュネ・レーフタ」とは，ウルドゥー語で「ウルドゥーの祭典」を意味する.

A comprehensive Urdu learning platform
Designed by noted Urdu academics and contemporary poets, Aamozish brings to you two courses: Rasm-ul-khat & Alfaaz.
These courses will set the groundwork for you to enter the world of Urdu poetry and literature.
MAASHOOQ
Beloved
Rasm-ul-khat
Learn the intricacies of Urdu Script. With Rasm-ul-khat, master the Urdu script in a playful yet scientific way.
Join now
Alfaaz
Discover the pearls of Urdu Vocabulary. Alfaaz takes you on an exciting journey to learn the most fundamental Urdu words used in Urdu poetry.
Join now

図11　「アーモーズィシュ」のトップページ

まざまである。さらに、有名なガザルの一節や作家、詩人の似顔絵などをプリントしたグッズやポスター、書籍、細密画、ウルドゥー書道などといった物品の販売や、フードフェスティバルなども併設されている(図12・図13)。この祭典の人気ぶりには目を見張るものがあり、初年にあたる二〇一四年の祭典時には一万四〇〇〇人ほどだった来場者数が、二〇一七年の祭典では一〇万人を超えている。この来場者数の伸び幅にも、インドにおけるウルドゥー語・文学への関心の高まりを垣間見ることができる。興味深いのは、参加者の実に七〇%をウルドゥー語を母語としない、一七歳から三五歳までの若年層が占めているという点である。[16] 筆者も実際に何度かこの祭典に参加しているが、祭典の運営ボランティアを含めて、全体的に若者がとても多い印象を受けた。さらに、運営ボランティアスタッフの多くが大学生であったが、ウルドゥー語学・文学以外の科目を専攻している学生がほとんどで、むしろウルドゥー語学・文学専攻の学生が参加者サイドにまわっているという不思議な構造を目にした。おそらく、一部にパネルディスカッションのような専門的な内容を含むものの、全体的に大衆的な内容になっていることがこうした構造を生む原因になっているように思われる。

16 https://timesofindia.indiatimes.com/city/delhi/romancing-urdu-jashn-e-rekhta-set-to-light-up-your-weekend/articleshow/67067939.cms.

図12・図13　ジャシュネ・レーフタの様子［https://jashnerekhta.org］

ウルドゥー文学の抱える課題

これまでみてきたように、現在インドではイスラーム教徒やウルドゥー語を専門的に学ぶ人以外の間でもウルドゥー文学への興味関心が高まりをみせ始めている。しかし、課題や問題がないわけではない。これまで取りあげてきた人気ぶりは「聞いて」楽しむ文学が中心となっていた。他方、「文字」を媒介とする新たな文学作品の創作と需要という観点からみると、ウルドゥー文学は非常に厳しい状況におかれている。ウルドゥー語の書籍を刊行している出版社から毎年出される図書カタログをみても、新作はほとんど目につかず、「文字」を媒介とするウルドゥー文学が盛んだった頃に出された文学作品の再版がその大半を占めている（図14・図15）。それではなぜ、新たな文学が創作されないのであろうか。

その要因としてまず考えられるのが、「読み手」不足である。ウルドゥー語を母語としない人々にとって、「文字」と「語彙」が大きな壁となることはすでに述べたとおりである。しかし近年、イスラーム教徒の間でもアラビア文字離れが深刻な問題となっている。[17] 思い出してほしい。冒頭で挙げたエピソードの彼もイスラーム教徒であった。しかし、彼が読み書きできるのはローマ字とヒンディー語で用いられるデーヴァナーガリー文字のみである。「ウルドゥー語＝イスラーム教徒の言葉」という認識が強いインドにおいて、イスラーム教徒まで

17　アラビア文字はイスラーム教の聖典であるクルアーンを記すのに使用された文字であるため，イスラーム教徒にとっては神に近い，特別な文字であると認識される．

図14・図15　ウルドゥー語の書籍を扱う本屋

もがアラビア文字離れを起こしているのである。この問題がいかに深刻な状況にあるかというと、イスラーム教徒の墓地の中に、彼らにとっては聖なる文字であるはずのアラビア文字ではなく、デーヴァナーガリー文字を使用した墓碑が出現し始めたほどである。特に、若い世代になるにつれて、アラビア文字の読み書きよりもデーヴァナーガリー文字の読み書きを得意とする人の割合が高くなる傾向がみられる。近年、もともとアラビア文字で書かれたウルドゥー語の文学作品をそのままデーヴァナーガリー文字に翻字した書籍が多数出回る現象が起きているが、これもまたウルドゥー語が抱える「文字」の問題を如実に表している。

ウルドゥー文学作品の「読み手」と「書き手」

こうした状況から現在、アラビア文字でウルドゥー文学を読む読者層の大部分が大学などでウルドゥー語学・文学を専攻する学生や教師、研究者によって占められている。このような状況であるため、ウルドゥー語の書籍を取り扱う書店の数も減少し、中には移動販売をすることで地方都市への販売促進を行う出版社（図16）もあるが、訪問先にはウルドゥー語科のある大学が必ず含まれ、街中での一般を対象とした販売以上の日数が割かれている。

読み手がいなければ、本を刊行しても利益を得ることができない。

図16　ウルドゥー語の書籍の移動販売車

そのため、ウルドゥー語で本を刊行する場合には一部の大御所作家を除き、印税がもらえないばかりか、ほとんどの場合が自費出版を余儀なくされている。自費出版が活発であることは、出版への敷居を低くし書籍数を伸ばすというメリットがある反面、お金さえ払えば誰にでも出版できてしまうため文学全体の質を下げるというデメリットがある。出版費用を捻出できない場合には、ウルドゥー語の書籍を扱う出版社や研究機関、大学などから定期的に発行されているウルドゥー語の文芸雑誌（図17）に作品を投稿するケースも増えている。しかし、こうした雑誌の読者もまたウルドゥー語学・文学を学ぶ学生や教師、研究者がほとんどという現状である。「読み手」を確保する以外、この状況を打開することは難しいのである。

このように、「現在」のインドにおけるウルドゥー文学は、「文字」を離れた分野で関心が高まりをみせている一方、「文字」を媒介とする文学がなかなか発展しないという、複雑な様相を呈している。

［村上明香］

図17　ウルドゥー語の雑誌［ウルドゥー語雑誌『倫理の啓発』表紙］

8 インドのポピュラー音楽の変遷

多様性に富んだインドでは、音楽にも実にさまざまな形式がある。一方には、古典音楽[1]、宗教音楽、地域的な民俗音楽といった「伝統的」な実践が存在する。そして、もう一方には映画音楽《フィルミー・ミュージック》のような大衆的な人気を誇る現代音楽があり、また欧米の音楽的スタイルの影響を受けたアーティストたちが映画とは別の文脈で、また時に映画音楽と交差しながら楽曲をつくってきた。本章ではインドのポピュラー音楽にフォーカスし、それらを便宜的に「映画音楽[2]」と「インディペンデント音楽」に大別して[3]、インド社会とともに発展し続けるそれらの音楽実践について概観したい。

インドの映画音楽

インドは映画の製作本数が世界一を誇り、ポピュラー音楽といえば映画の挿入歌が圧倒的に強い。特に人気があるのは、ムンバイー（旧・ボンベイ）でつくられるいわゆるボリウッド映画の曲である。基本的にヒンディー語（またはウルドゥー語）で歌われ、とりわけ北インドでよく聴かれている。また、地方語による映画産業も盛んで、

1　北インドのヒンドゥスターニー音楽と南インドのカルナータカ音楽に分けられる．

2　商業的な娯楽映画と芸術映画とに大別できるが，本章ではポピュラー音楽に照準するため，前者の娯楽映画の音楽を指すこととする．

3　ナタリー・サラズィンの整理による．Sarrazin, N., 2020, *Focus: Popular Music in Contemporary India*（フォーカス：現代インドのポピュラー音楽）, Routledge．本章の執筆にあたっては，前書とピーター・マニュエルの次の文献を多く参照した．マニュエル，P., 1992『非西欧世界のポピュラー音楽』中村とうよう訳，ミュージック・マガジン（原著：1989）．また，以下の文献も映画音楽をはじめとするインドのポピュラー音楽の世界を知る上で役立つ．杉本良男，2002『インド映画への招待状』青弓社．サラーム海上，2006『プラネッ→

特に南インドのタミル語映画は市場規模も大きい。近年はテルグ語やカンナダ語などの南インド映画も存在感を増してきている。こうした映画の挿入歌は、インドの近隣国やインド系・南アジア系移民人口が多い国々でも、映画とともに人気を博している。

初期の「歌う俳優」から「プレイバック・シンガー」の時代へ

一九三一年にインド初のトーキー映画が登場した頃の音楽は、ガザルのような軽古典の形式に乗せてタブラー（北インドの太鼓）やターンプーラー、ハルモニウムなどの弦楽器を用いた歌と演奏が多かった。また、初期のインド映画では俳優が歌も歌っていた。[4] しかし、一九四七年の独立直前に人気俳優のK・L・サイガルが死去し、分離独立によってヌールジャハーン（一九二六～二〇〇〇）などの歌うムスリム俳優がパキスタンに去るといった影響もあり、インド映画は俳優とプレイバック・シンガーの分業体制へと移行していった。プレイバック・シンガーとは吹き替え専門の歌手で、[5] 商業映画に数回登場する歌と踊りのシーンで俳優に合わせて歌う。

このシステムにより、数人の歌手が膨大な数の曲を歌い、スターとなっていった。男性はムハンマド・ラフィー（一九二四～八〇）、キショール・クマール（一九二九～八七）、ムケーシュ（一九二三～七六）、マンナー・デー（一九三八～二〇一三）など、女性では「イ

→ト・インディア―インド・エキゾ音楽紀行』河出書房新社．北中正和監修，2007『世界は音楽でできている　ヨーロッパ・アジア・太平洋・ロシア＆NIS編』音楽出版社．

4　初期の歌う俳優K. L. サイガル（1904～47）や，文学者ラビンドラナート・タゴール（1861～1941）の歌を映画音楽に用いた作曲家で歌手のパンカジ・マリク（1905～78）は，インド映画音楽界の先駆者．ベーガム・アフタル（1914～74）は「ガザルの女王」ともよばれ，俳優としても活動した．

5　俳優本人が歌う例はあまり多くはない．音楽監督が歌手を兼ねている場合は多数ある．

図1　映画音楽を代表するアーティストたちに関する展示［ムンバイーの国立インド映画ミュージアム］

ンドのナイチンゲール」と称えられたラター・マンゲーシュカル（一九二九〜二〇二二）とアーシャー・ボースレー姉妹らが大御所で、ヒンディー語を中心に数々の名曲を残している。作曲も行う音楽監督たち[6]は、古典音楽やガザル、ヒンドゥー教の宗教歌バジャンなどのローカルな形式をベースにしつつ、英国植民地時代に入ってきた西洋のオーケストラ（ヴァイオリン、クラリネット、シロフォン、ピアノなど）やサクソフォン、コンガといった楽器の音色、ジャズの要素[7]などを加えたサウンドをつくり出した。

その後、一九七〇年代から八〇年代にかけて、映画音楽にはジャズ、タンゴ、サルサ、ディスコ、ソウル、ロックンロールなどの西洋的なスタイルがより積極的に取り入れられていく。音楽監督も、インド映画史上最大のヒット作の一つ『炎』(*Sholay*)（一九七五）などを手がけたR・D・バルマン[8]（一九三九〜九四）、女性音楽監督の草分けウシャー・カンナー、ディスコ・サウンドを大胆に導入したバッピー・ラヒリー（一九五二〜二〇二二）、八〇年代に活躍した二人組のラクシュミーカント―ピャーレーラールなどの世代に移っていく。ガザルもアレンジが施され、演奏時間も短くなりポップなものとなった。ジャグジート・スィング（一九四一〜二〇一一）とチトラー・スィング夫妻やパンカジ・ウダース、ハリハランといった歌手たちは、ガザルの人気を大衆的なレベルで広めた立役者である。また、南

6　この時期から活動した音楽監督としては，S. D. バルマン（1906 〜 75），ヘーマント・クマール（1920 〜 89），サリル・チョウドリー（1925 〜 95），ナウシャード（1919 〜 2006），ハイヤーム（1927 〜 2019），ラージ・カプール監督作品の音楽監督を数多く手がけたシャンカル―ジャイキシャン，カリャンジー―アーナンドジーなどの 2 人組，また南インドでは M. S. ヴィシュワナータン（1928 〜 2015）が名高い．一方，60 年代にビートルズのジョージ・ハリスンにシタールを教えたことでも知られるラヴィ・シャンカル（1920 〜 2012）は，サタジット・レイ（1921 〜 92）監督の「大地のうた」(1955) をはじめとする芸術映画の音楽を担当した．

7　インドには英国の植民地統治の影響でジャズがもたらされた．（特にゴア出身の）ミュージシャンが都市のクラブで英国人向けに演奏活動を行っていたが，独立の影響で演奏場所が減り，映画業界に入ったミュージシャンもいた．当時，作曲家の多くが古典音楽畑の出身だったため，ジャズミュージシャンがアシスタントとしてアレンジをすることもあったという．こうした動きから，古典とジャズの要素が融合したサウンドが発展していく（Sarrazin, N., 2020, *Focus: Popular Music in Contemporary India*（フォーカ→

インドのＳ・Ｐ・バーラスブラマニヤム（一九四六〜二〇二〇）、Ｓ・ジャーナキー、Ｋ・Ｊ・イェーシュダースなどの歌手たちが、ヒンディー語映画の歌でも人気を博する。[9]

音楽の聴かれ方の変化――レコード、ラジオ、カセットテープ

インドのレコード産業は、英国のグラモフォン社によるレコードのプレス工場が一九〇八年にカルカッタにでき、カンパニーのレーベルであったＨＭＶがインドの古典音楽や映画音楽の発売を始めたことに始まる。一九三一年にＥＭＩと合併した後も、レコード販売はＨＭＶの寡占状態が長く続いた。[12]

一方、多くの人々が音楽聴取に用いたラジオは、一九五二年の最初の総選挙後に情報・放送大臣に就任したＢ・Ｖ・ケースカルが、国営のオール・インディア・レディオで古典音楽の放送を奨励し、西洋の楽器・メロディーの使用が目立っていた映画音楽の放送を禁止する政策を取った。[11]隣国スリランカのレディオ・セイロンがインド映画音楽を流していたため、一般の人々はそれを熱心に聴いたという。レディオ・セイロンの番組の人気に押される形で、この放送禁止措置は一九五七年に解かれ、ポピュラー音楽も流されるようになる。

七〇年代終盤から八〇年代にはカセットテープが音楽消費の新たな形となった。一九八〇年代に海賊版カセットの販売から始まったＴシ

→ス：現代インドのポピュラー音楽），Routledge, pp. 70–73, 113）.

8　S. D. バルマンの息子で，アーシャー・ボースレーの夫だった．

9　1980～90年代中心に人気映画の挿入歌を歌ったアヌラーダー・パウドワールやカヴィター・クリシュナムールティ，“Kuch Kuch Hota Hai”（1998）をはじめ共演曲がヒットしたウディト・ナーラーヤンとアルカー・ヤーグニク，「ボリウッドのメロディー・キング」と称されるクマール・サーヌなども人気が高い．

10　井上貴子，2010「インドのポピュラー音楽と音楽産業」井上貴子編『アジアのポピュラー音楽―グローバルとローカルの相克』勁草書房，p. 144．インド・グラモフォン社は2000年にサレガマ・インディア（Saregama India）と社名が変更され，以降はサレガマがレーベル名となる．

11　ラヴィ・シャンカルは1949年2月から56年1月まで，オール・インディア・レディオの音楽監督を務めている．

リーズは、その後インド最大の音楽レーベルへと発展した。

経済自由化がポピュラー音楽にもたらした変化

一九九一年、インドは規制緩和・経済開放政策に舵を切り、関税障壁の縮小、外国投資の奨励、貿易の大幅な自由化などの改革を進めた。この流れが、インドの映画や芸術にも多大な影響をもたらしていく。音楽の文脈では、外国製の楽器や機材の輸入がしやすくなり、また人やモノのグローバルな移動が活発化し、海外の音楽の情報や新たな技術が流入するようになった。放送分野にも自由化とグローバル化の波が押し寄せ、九一年のスターTV（香港）のインド進出以降、MTV（米国）、Zee TVなどのインドの衛星放送局が次々と参入し、海外の映像コンテンツへのアクセスも容易になった。また、経済成長に伴う中間層の増加などを背景に、都市部の消費社会や海外のインド系の裕福な生活を描く映画が増え、さらにインド系移民の国際移動[12]やDVDの流通によって映画の消費が拡大していった。こうした変化に合わせるかのように、映画音楽でも英語やヒングリッシュ（英語とヒンディー語のミックス）の使用が目立つようになり、欧米の音楽的スタイルとのフュージョンによる洗練された楽曲が増加していく。

12　拡大するインド系移民市場を意識して，90年代頃から海外を舞台に設定し，現地に暮らすインド系の主人公を描く映画が増えている．

図2　ファルハーン・アフタル（俳優・歌手），シャーン，シャンカル―エヘサーン―ローイのライヴ［ムンバイー，2019年2月］

A・R・ラフマーンの登場と、新世代のつくり手たち

こうした時代の変化を象徴する音楽家が、A・R・ラフマーンである。映画『ロージャー』（一九九二）の音楽監督に抜擢され高い評価を得たラフマーンは、それまでイライヤラージャーが影響力を誇っていたタミル語映画音楽に変革をもたらし、ヒンディー語映画や海外の映画・舞台の音楽も手がけ、国際的にも一躍脚光を浴びる。その音楽性は、ラーガ、カウワーリー[13]、ガザルといった古典・軽古典的なものから西洋のポップ、ロック、エレクトロニック音楽にまで及ぶ。

九〇年代後半から二〇〇〇年代にかけては、ほかにもシャンカル－エヘサーン－ローイ、プリータム、ヒメーシュ・レーシャミヤー、サリーム－スレーマーン、ヴィシャール－シェーカル[14]といった新世代の音楽監督が続々と現れ、現代性を反映させた幅広いタイプの作曲や技巧を凝らしたアレンジを行っている。また、自身で歌う作曲家も多い。歌手では、シャーン、ソーヌー・ニガム、スクヴィンダル・スィング[15]らが現在も第一線で活動を続ける。

二〇〇〇年代半ばから現在にかけて活躍する若手の音楽監督では、バンド形式のライヴも精力的に行うアミト・トリヴェーディー、現在も数少ない女性音楽監督スネーハー・カンワルカル、南インドのD・イマーン、その音楽性の幅広さからラフマーンと比較されることも多いアニルド・ラヴィチャンダルなどが挙げられる。[16]歌手では、自らの

13　神や聖者への愛を歌うイスラーム神秘主義（スーフィズム）の音楽.

14　この時期の2人組音楽監督には，ほかにもナディーム－シュラヴァン，ジャティン－ラリト，サージド－ワージドなどがいる.

15　アカデミー賞を受賞したダニー・ボイル監督の映画『スラムドッグ・ミリオネア』(2008) の曲 “Jai Ho”（作曲はラフマーン）で，その歌声は世界中に知られる.

16　南インド映画では，サントーシュ・ナーラーヤナン（タミル語），デーヴィー・シュリー・プラサード，S. タマン（テルグ語），ゴーピー・スンダル（マラヤーラム語）なども現在活躍している.

図3　アミト・トリヴェーディーのコンサートのポスター［シンガポール，2019年11月］

バンド・ファンクチュエーションも率いるベニー・ダヤール、アリジート・スィング、アルマーン・マリク、スニディ・チャウハーン、シュレーヤー・ゴーシャール、ネーハー・カッカル、ジュビン・ナウティヤール、トゥルスィー・クマール[17]、パラク・ムッチャル、南インドではチンマイー、ハリーチャランなど、八〇〜九〇年代生まれの世代が中心となっている。それまでの歌手の多くが映画や音楽関係の家庭出身だったのに対し、この世代では衛星テレビ局のオーディション番組[18]に出場した一般家庭出身者も出てくるようになってきた。近年の曲にはラップやテクノなどの影響も強くみられるものの、各地の民俗音楽のスタイルをモティーフにした曲は今も支持を集める[19]。なかでもパンジャーブ州のバングラーのようなノリのよいサウンドは、映画を華やかに盛りあげている[20]。

一方、二〇一九年二月のジャンムー・カシミール州でのテロ攻撃を受け、全インド映画労働者協会はパキスタン人アーティストを起用しないことを決定した。ラーハト・ファテ・アリー・ハーン[21]など、インドでも活躍してきたパキスタン人歌手が業界から締め出される事態となり、ヒンドゥー至上主義の影響が娯楽産業にも及んでいる。

映画音楽の聴かれ方

映画音楽は通常、プロモーションとして映画の封切り前にリリース

17　T シリーズの創業者グルシャン・クマールの娘．

18　代表的な番組に「サレガマパ」(*Sa Re Ga Ma Pa*)（1995 〜，放送開始時のタイトルは *Sa Re Ga Ma*)，「インディアン・アイドル」(2004 〜)，「インディアズ・ゴット・タレント」(2009 〜)，「ライジング・スター」(2017 〜）などがある．

19　近年の例を挙げると，サンジャイ・リーラー・バンサーリー監督の歴史大作「銃弾の饗宴 ラームとリーラ」(*Goliyon Ki Raasleela Ram-Leela*)（2013）の “Nagada Sang Dhol” はグジャラート州のガルバー，「パドマーワト」(2018）の “Ghoomar” はラージャスターン州の民俗舞踊グーマルをモティーフに，いずれもシュレーヤー・ゴーシャールが歌いヒットした．

20　グルダース・マーンがベテラン歌手として知られ，近年は元々インディペンデントな歌手だったディルジート・ドゥサーンジが映画音楽でも躍進している．

21　世界的に有名なカウワーリーの歌い手ヌスラット・ファテ・アリー・ハーン（1948 〜77）の甥でもある．

される。九〇年代後半のインドではＣＤが普及し始め、二〇〇〇年代にかけてはプラネットＭやミュージック・ワールドといったＣＤショップが全国展開してサントラ盤を販売した。二〇〇〇年代後半になると音楽流通のデジタル化が進み、携帯電話も急速に普及して、スマートフォンやパソコンで聴かれるようになった。インドでは現在、ガーナー（Gaana）が最大のストリーミングサービスで、ほかにもウィンク・ミュージック（Wynk Music）、ジオ・サーワン（JioSaavn）、ハンガーマー・ミュージック（Hungama Music）、スポティファイ、アップル・ミュージックなどが利用されている。

また、封切り前に公開される歌と踊りのシークエンスの映像は映画への期待を高め、作品の商業的成功を左右するほどの重要性をもつ。映像はテレビなどで流されると著作権使用料が配給業者に入るため、映画自体とは別の商品価値ももつようになる。[22] ユーチューブでは、チャンネル登録者が二億人を超えるＴシリーズ[23]やサレガマ、エロス・ナウ・ミュージック、Ｚｅｅミュージック、ソニー・ミュージック・インディアといった大手音楽レーベルが、ビデオや短いクリップをアップロードしている。

インディーポップ

映画音楽とは別の文脈でつくられるインディペンデントなポピュ

図４　スニディ・チャウハーンとKK（1968～2022）のライヴのポスター［ロンドン，2011年11月］

22　山下博司・岡光信子，2010『アジアのハリウッド―グローバリゼーションとインド映画』東京堂出版，pp. 183–184.

23　2019年頃には，スウェーデン出身のユーチューバー，ピューディーパイとのチャンネル登録者数世界一をめぐる競争で話題となった.

ラー音楽は、インディーポップともよばれる。その初期の例に、チェンナイのナイトクラブ出身で低音の声質が印象的なウシャー・ウトゥプがいるが、彼女はその後プレイバック・シンガーとしても活動している。このように、独自の楽曲をつくりながら映画音楽も歌う歌手の例は少なくない。在英インド系プロデューサーのビッドゥー[24]が手がけたアルバム「メイド・イン・インディア」（一九九五）がヒットしたアリーシャー・チナーイ、ゴア出身でポルトガルやラテンなど幅広い音楽性が持ち味のレモ・フェルナンデス、ヒット曲"Tunak Tunak Tan"（一九九八）で知られるダレール・メヘンディ、近年ではユーチューブの動画再生数が数億回に達する人気曲を多くもつグル・ランダーワーなどが挙げられる。

ロックの誕生と変遷

インドではロックの人気も高い。[25]その一つの萌芽は、ＥＭＩグループの初代ＣＥＯのバースカル・メーノーン[26]（一九三四〜二〇二一）が西洋のポップやロックをインドにもち込み、またインド人ミュージシャンたちにそれらの音楽をコルカタのクラブで演奏させたことにあった。しかし、独立後のナショナリズムや保護主義的な経済政策、映画音楽の一強状態などにより、ロックの広まりは妨げられた。演奏に必要な楽器や機材の入手も難しく、楽器を教える教師や音楽学校も

24　日本のザ・タイガースや中森明菜への楽曲提供も行った．

25　インドのロック，またこの後に取り上げるエレクトロニック音楽やヒップホップについては，軽刈田凡平のブログ「アッチャー・インディア　読んだり聴いたり考えたり」（http://achhaindia.blog.jp）が詳細な情報を提供している．

26　彼は後に米国のキャピトル・レコーズの代表となり，ビートルズ，ローリング・ストーンズ，ピンク・フロイドなど多くの世界的なアーティストたちと関わった．

なかった。西洋のロックと結びついた個人主義や社会への反抗的な姿勢が、親や社会への従順さを求められる若者の心性にマッチしなかったということも考えられる。[27] それでも、若者たちはレディオ・セイロンや米国の国営放送ヴォイス・オヴ・アメリカ、BBCなどから流れる新しい音楽を耳にし、六〇年代初頭にビートルズなどのロックに触れる。[28] そうした中で英米のロックをカバーする動きが現れ、さらにタバコ会社の主催によるバンドのコンペティション、シムラー・ビート・コンテストが大きな契機となり、オリジナル曲をつくるバンドも増えていった。[29] また七〇年代にかけては、インドのローカルな要素とロックサウンドを融合する試みも始まる。[30]

八〇年代に登場したロック・マシーン（九三年にインダス・クリードと改名）は、アルバムをつくり全国をツアーしたインド初のロックバンドとされる。[31] 八〇年代終盤から九〇年代初頭に結成されたポップロックのユーフォーリア、インド楽器の音色を織り込んだインディアン・オーシャンやパリクラマー（Parikrama）などもベテラン的存在である。九四年結成のペンタグラムのメンバー、ヴィシャール・ダードラーニーは、その後ヴィシャール―シェーカルとして映画音楽も数多く手がける。[32] 九六年結成のサーマル・アンド・ア・クォーターは、ディープ・パープル（英国）やガンズ・アンド・ローゼズ（米国）といった人気バンドのインド公演で前座も務めた。二〇〇〇年代以降

27　Sarrazin, N., 2020, *Focus: Popular Music in Contemporary India*（フォーカス：現代インドのポピュラー音楽）, Routledge, pp. 74–75, 137, 198–199.

28　1960年代はまた，インドの楽器の響きに影響を受けたビートルズなどによる，いわゆるラーガ・ロックが登場した時代でもあった．

29　この時期の代表的なバンドに，ザ・フェントーンズ（シロン），ザ・コンバスティブルズ，ザ・ジェッツ，ザ・サヴェジズ（ムンバイー），ヒューマン・ボンデージ（チェンナイ）などがいる．

30　例えば，コルカタ出身のモヒネル・ゴラグリ（Moheener Ghoraguli）は，ベンガルの詩の文化をフォークロックやジャズと融合した楽曲をつくった．

31　インドへのMTVの到来に合わせるかのように音楽ビデオの制作も行い，実際にMTVで流された．

32　ラフマーンや歌手カイラーシュ・ケールらのスーフィー・ロック的な楽曲や，バンドの人間模様を描いたボリウッド映画『ロック・オン！！』（2008）も，映画音楽とロックをより近づけた．

は、ヒンディー語で歌うアグニー（Agnee）やザ・ローカル・トレイン、カルナータカ州のフォークな要素を加えた作風のラグー・ディクシト・プロジェクトやアガム（Agam）などが広く知られる。また、メタルバンドは八八年結成のミレニアムや九八年結成のクリプトス（Kryptos）が先駆的で、二〇〇〇年から活動するディーモニック・リザレクションはヨーロッパでも高く評価されている。

これらのバンドはデリーやムンバイー、ベンガルールなどの都市に拠点を置くが、南部ケーララ州出身のバンドも多い。ハードなギターサウンドのマザージェイン、マラヤーラム語ロックのタイックダム・ブリッジ（Thaikkudam Bridge）やマサーラー・コーヒー、ポップでアコースティックなホエン・チャーイ・メット・トーストなどが特に知られる。また、北東部はインド本土との文化的な違いが大きく、映画音楽の人気があまりない一方で、ロックやポップの人気が高い。一九世紀に布教活動によってキリスト教や教会音楽が浸透した影響もあり、アーティストが育ちやすい土地柄で、メーガーラヤ州シロンは「インドのロックの首都」ともよばれる。[33] 女性ボーカルによるブルースのソウルメイト（シロン）、メロディアスなメタルのギリシュ・アンド・ザ・クロニクルズ（シッキム州）ほか、ソロも含めレベルの高いアーティストを多数輩出している。

33　また，ナガランド州政府は2004年に音楽振興局ミュージック・タスク・フォースを設立し，ポピュラー音楽振興を推進している（岡田恵美，2021「インド北東部ナガランド州にみるローカリティの再創造―ポピュラー音楽→

図5　ホエン・チャーイ・メット・トーストのライヴ［シンガポール，2019年11月］

エレクトロニック音楽

エレクトロニック音楽も次々登場している。その種が蒔かれたのはヒッピーで賑わうゴアのビーチで、スピリチュアルかつサイケデリックな要素を電子音と融合したゴア・トランスが八〇年代後半から九〇年代初頭に生まれ、レイヴ（野外パーティー）が盛り上がっていく。

九〇年代半ばには、英国のインド系DJバリー・サッグーによるボリウッド音楽のリミックスがインドでも評判をよび、二〇〇〇年代に入るとアクバル・サーミーやDJアキールといったDJが映画音楽の原曲のリミックスを行うようになった。DJが都市部のクラブや結婚式などのイベントでプレイする光景は、現在ではお馴染みである。また、九〇年代終盤から活動するデリーの二人組ミディヴァル・パンディッツ[34]やバンディィシュ・プロジェクト、後者の元メンバーでラッパーとの共作も多いニュークリヤ、デュアリスト・インクアイアリー（サヘージ・バクシーのソロプロジェクト）などのエレクトロニックのアーティストは、EDM（Electronic Dance Music）やインドのローカルなサウンドとの巧みなフュージョンで支持を集めている。

ヒップホップ・カルチャー

インド初のラッパーは九〇年代に"Thanda Thanda Pani"がヒットしたバーバー・セヘガルとされるが、ヒップホップの実践が本格化

→振興政策とフェスを通して『つながる』ナガの若者たち」松川恭子・寺田吉孝編『世界を還流する〈インド〉―グローバリゼーションのなかで変容する南アジア芸能の人類学的研究』青弓社，pp.170-171）.

34 タルヴィン・スィング（英国）やカルシュ・カーレー（米国）などの在外インド系アーティストとの共演でも有名.

するのは二〇〇〇年代後半である。ヨー・ヨー・ハニー・スィングがバードシャー、ラフタール、イッカーらとマフィア・ムンディールを結成し（後に消滅）、彼らはソロ活動も開始した。[35] ハニー・スィングは映画音楽に進出して多くのダンスチューンを制作し、バードシャーもボリウッド・ラッパーの代表的存在となり、ヒップホップの大衆化に貢献している。[36] また、同じ頃にチェンナイで活動を始めたデュオ、ヒップホップ・タミラーもタミル語映画音楽の制作へと進んだ。

こうした売れ筋路線のポップなラップに対し、米国のハードコアなラップに影響を受けたラッパーの活動も、各地で活発化する。デリーのKR$NAやベンガルールのブロダVらがその先駆で、ムンバイーのディヴァインやネイズィーはストリートの日常や自身の心情をラップし、若者たちの共感を得る。彼らに触発されて制作された映画「ガリーボーイ」（二〇一九）により、ヒップホップへの社会的認知は一気に高まった。[37] 挿入歌 "Mere Gully Mein" を手がけたセッズ・オン・ザ・ビートは、デリーの有名レーベル、アーザーディー・レコーズのラッパー、プラブ・ディープをはじめ数々のラッパーと共作する代表的なビートメーカーである。女性ラップは、英国育ちのハード・カウルが先鞭をつけ、現在はラージャー・クマーリー（米国出身）やディーMC（ムンバイー）らが牽引する。トリプラー州出身のボルクン・フラングコールやオーディシャー州出身で日本人の母をもつビッ

35　その一方で彼は，米国のヒップホップのリリックにみられる女性蔑視的な要素をもち込み，批判も受けている．

36　ボリウッド映画の過去のヒット曲にラップを加えて現代風にリメイクし，新作映画の挿入歌に用いる例が近年散見されるが，それらに参加しているのもたいていバードシャーやラフタール，イッカーである．

37　主演のランヴィール・スィングは，映画公開後にヒップホップレーベル IncInk を設立した．

図6　インド初のヒップホップ映画「ガリーボーイ」のポスター［2019年2月の公開時，ムンバイーの映画館にて］

グ・ディールは、少数派が被る差別の痛みやアイデンティティの表明を通じて、「インド人」とは誰かという問いを提起する。ラップは近年、政治問題や貧困、ダリト差別などについて声を上げるプロテストの手段ともなっており、各地の若いラッパーたちが紡ぎ出す力強い言葉やメッセージは社会的にも注目を集めている。

高まるヒップホップ人気を受けて、二〇一九年八月には初のラップオーディション番組 *MTV Hustle* がMTVインディアで始まった。[38]また、二〇二二年二月にはユニバーサル・ミュージック・グループが、米国の老舗ヒップホップ・レーベルのインド版、デフ・ジャム・インディアの設立を発表した。[39]社会批評や地域性を織り込み、商業性との折り合いをつけながら発展を続けるヒップホップは、インドで今最も勢いのある音楽ジャンルだといえるだろう。

インディペンデント音楽のパフォーマンスの場

パフォーマンスの場としてポピュラーなのが、音楽フェスティバル（フェス）である。その端緒となったのが大学の文化祭で、ロックバンドのコンペティションは演奏の機会が限られていた学生のバンドに場所を与え、プロのキャリアの道を開く役割を果たしてきた。現在も多くの会場で音楽やダンスなど多分野のコンペが行われており、企業の協賛による大規模なものも目立つ。特にインド工科大学各校の文化

38　第1シーズンではラフタール，ラージャー・クマーリー，ニュークリヤが審査員を務めた．映画『ガリーボーイ』にもラップバトルのコンテストのシーンがあり，ラージャー・クマーリーが審査員役でカメオ出演していた．映画のシーンが現実になった格好である．

39　インド人ラッパーのディノ・ジェームス，フォッティー・セヴンと契約した．

祭は有名で、アジア最大級の大学祭であるムンバイー校のムード・インディゴ、デリー校のランデヴー、カーンプル校のアンタラーグニ（Antaragni）などは六〇～七〇年代に始まり、人気アーティストのライヴも多数催される。ほかにも多くの大学祭で、映画音楽の歌手も含めた豪華アーティストのパフォーマンスが繰り広げられる。

一般のフェスでは、「インドのウッドストック」とよばれたインディペンデンス・ロック・フェスティバル（一九八六～二〇一三、二〇二二）やコンペも行ったザ・グレート・インディアン・ロック・フェスティバル（一九九七～二〇一二）が、ロックの発展に貢献した。二〇〇〇年代以降は、数万人を動員する巨大フェスも現れている。滑走路で催されるインド最大規模のエンチャンテッド・ヴァリー・カーニヴァル（マハーラーシュトラ州）、数都市をツアーするバカルディＮＨ７ウィークエンダーなどの多ジャンルのフェスに加え、サンバーン・フェスティバルやＶＨ１スーパーソニックなど、欧米の有名ＤＪも登場するＥＤＭの祭典もある。また北東部では、ナガランド州のホーンビル・ミュージック・フェスティバルやアルナーチャル・プラデーシュ州のジロ・フェスティバル・オヴ・ミュージックが挙げられる。ほかにも、独自色を出したフェスは全国に数多い。

もちろん、アーティスト単体によるライヴもインド各地の大小さまざまな会場で催されており、ロックをコンセプトに世界中で展開する

図７　ハイダラーバードのハードロックカフェで演奏する地元のバンド［2019 年 2 月］

ハードロックカフェ[40]もバンドの演奏の場としてポピュラーである。

混じり合い、多様化する音楽実践

本章では便宜的に音楽のスタイルやジャンルを分けて論じてきたが、現在はこうしたカテゴリーを横断・越境する実践も増えている。ジャンルのボーダーレス化は加速度的に進み、スカやレゲエ、パンクなどを融合したバンド、ザ・スカ・ヴェンジャーズ（デリー）、二人組ポップユニットのパレク&スィング（コルカタ）など、その音楽性が欧米で注目されるようなインディペンデントのアーティストも次々と現れている。「インド性」を一種の記号として着脱できる若い世代のアーティストたちは、その自由で柔軟な感性によって、今後も多彩な響きの音楽を繰り広げていくことだろう。

［栗田知宏］

40　2022年10月現在，ベンガルール，チャンディーガル，ハイダラーバード，グワーハーティー，コルカタ，ナヴィー・ムンバイーで計8店舗が営業している．

図8　A. R. ラフマーン・ファウンデーションが2008年にチェンナイに設立した音楽専門の高等教育機関，KMミュージック・コンサーヴァトリー

ヒンドゥスターニー音楽や西洋のクラシック音楽をはじめ，オーディオエンジニアリング，電子音楽制作，西洋のヴォーカル，ギターやドラム，ピアノなどの楽器といった幅広いプログラムを提供している．ここで学び，ポピュラー音楽のプロの道に進む若いアーティストも少なくない．

9

インドの医薬・医療事情

世界の薬局

インドといえば、ヨガ（ヨーガ）やアーユルヴェーダに代表される伝統医療を想像する人は多いだろう。しかし、インドでは植民地期以降、近代医療も発展しており、アジアにおいても高度医療の進んだ国の一つである。そして、現在のインドは「世界の薬局」とも称されるほどの医薬品製造・輸出大国でもある。

インドは、世界のジェネリック医薬品の約二〇％を供給する世界最大のジェネリック医薬品供給国である。また、インドは世界最大のワクチン製造国で、世界のワクチン需要の五〇％以上を満たしており、最近では、新型コロナウイルス感染症のワクチン製造拠点としても大きな注目を集め、新型コロナウイルス感染症のワクチンを複数国で共同購入し、公平に分配するための国際的枠組みである「ＣＯＶＡＸ（コバックス）ファシリティ」にもワクチンを供給している。世界の薬局として、新型コロナウイルス感染症との闘いにおいて、インドは大きな役割を果たしている。

その一方で、インドは、その多くの国民が医療に十分アクセスでき

図１　薬局の内観（左）と外観（右）［小松久恵提供］

ないという課題を抱えており、課題解決のための取組みが続いている。

本章では、製薬産業を中心とするインドのヘルスケア産業の成長と医療アクセス改善に向けた取組みについて紹介する。

インドが医薬品を低価格で供給できるワケ

インドは、医薬品生産量で世界第三位であるが、生産額では第一四位に位置している。生産額でインドが大きく順位を下げている理由は、インドの医薬品が安価であることにある。インドが製造する医薬品は特許が失効したジェネリック医薬品で、特許が有効な新薬とよばれる先発医薬品よりもその価格は低いが、インドで製造されるジェネリック医薬品の価格は世界でも最も低い水準にある（表１）。なぜインドはジェネリック医薬品を世界で最も低価格で供給できるようになったのだろうか？　それは、一九七〇年にインドのすべての国民に安価な医薬品を供給することを目的として発布された二つの政策的措置の存在が大きい。

一九四七年の独立後、インドの医薬品製造が本格化した。[1]インドは国営製薬企業を設立し、製薬産業の発展をはかったが、当時の外資規制は緩やかであったため、外資系製薬企業のインド進出を促すことになった。技術的に劣位にあったインド製薬企業の発展は限定的で、インドの輸入代替工業化政策[2]は結果的に外資系企業に保護市場を提供

表１　インドと日本のジェネリック医薬品の価格の違い

	インド	日本	効能／効果
アムロジピン錠　5 mg	4.4 円	15.2 円	高血圧／狭心症
アトルバスタチン錠　10 mg	9.4 円	29.20 円	高コレステロール血症
ドネペジル塩酸塩錠　10 mg	27.3 円	146.7 円	アルツハイマー型認知症
ゲフィチニブ錠　250 mg	730.4 円	2197 円	抗悪性腫瘍剤（抗がん剤）

［出典：インド国家医薬品価格局（NPPA）（https://pharmaceuticals.gov.in/national-pharmaceutical-pricing-authority）および厚生労働省「薬価基準収載品目リスト及び後発医薬品に関する情報について」（https://www.mhlw.go.jp/topics/2020/04/tp20200401-01.html）より作成］

1　インドの製薬産業の発展の詳細は，上池あつ子，2019『模倣と革新のインド製薬産業史－後発国のグローバル・バリューチェーン戦略』ミネルヴァ書房を参照されたい．

し、外資系企業によるインド医薬品市場支配が生み出された。外資系企業のインド医薬品市場支配は、インドの医薬品価格の高騰を引き起こした。インディラ・ガーンディー政権は、医薬品価格を引き下げ、インドの医薬品アクセスを改善するために、一九七〇年代に二つの重要な政策、①一九七〇年特許法、②一九七〇年医薬品価格規制令、を実施した。

一九七〇年特許法は、物質特許を廃止し、製法特許のみを認めた。[3] 一九七〇年特許法は、インドでリバース・エンジニアリング[4]と他国で特許保護されている医薬品の代替的製法の開発を促進し、インド企業の医薬品製造技術の獲得に貢献した。

一九七〇年医薬品価格規制令は、必須医薬品の上限価格を設定し、インドの医薬品価格の大幅な引き下げを目的とした。医薬品価格規制令の実施により、インドの医薬品価格は世界で最も低い水準に引き下げられた。二〇二二年現在も、医薬品価格規制令によりインドの必須医薬品価格は低く抑えられている。インド企業に対して、医薬品価格規制令はコスト削減への誘因として機能した。医薬品の上限価格が設定されている状況で、製薬企業が利益を最大化するためには、コストを極限まで引き下げる必要があった。インド企業は低コストで医薬品を製造する技術の開発に注力し、コスト競争力の強化をはかることで、非常に低価格でジェネリック医薬品を供給することができるようになった。

2　輸入代替工業化とは輸入品を制限し，国内生産を促進することで工業化をはかること輸入品を国内製品に代替する工業化．国内産業を海外からの競争から保護するために，関税と輸入割当など輸入規制などの政策を伴う．

3　物質特許とは新規化合物に対して付与される特許であり，医薬品の場合，医薬品１製品は一つの物質特許で保護され，その効力は同一物質である限り，製法，用途とは無関係にその物質の製造，販売，使用にまでおよぶ強大な権利である．製法特許は化学物質の製造方法に関する特許である．

4　リバース・エンジニアリングとは，他社の製品を分解し，その構造を分析または解析し，そこから技術体系(製造方法や動作原理，設計図などを調査し，自社製品に利用する技術．

世界の薬局への成長

インドの主要製薬企業の主戦場は、国内市場ではなく、海外市場であり、一九八〇年代末には全世界に向けて医薬品を輸出している。現在、インド製薬産業にとっての最大の市場は、米国でインドの医薬品総輸出の四〇％が米国に向けられている（図２）。

医薬品価格を引き下げることを目的とした医薬品価格規制令は輸出を促進する要因としても機能した。医薬品価格が低く設定されているインド国内市場は、インド企業にとって魅力的でなくなり、一九八〇年代に入るとインド企業は交易条件のよい海外市場への進出を加速していった。医薬品価格規制令は、インド企業のコスト競争力を強化することにつながり、コスト競争力を背景としたインド企業の海外進出を促進することになった。

一九八〇年代後半には、インドは医薬品貿易において貿易収支黒字を計上するようになり、医薬品輸出大国としての地位を確立するに至った。製薬産業はインドの製造業において最も高い国際競争力を有する輸出産業に成長し、世界の薬局としての地位を確立したのである。

世界的医薬品研究開発・製造拠点への発展

一九九〇年代以降、インド製薬産業は研究開発投資を増大させ、新薬開発やバイオ医薬品への参入を果たすようになった。その背景には

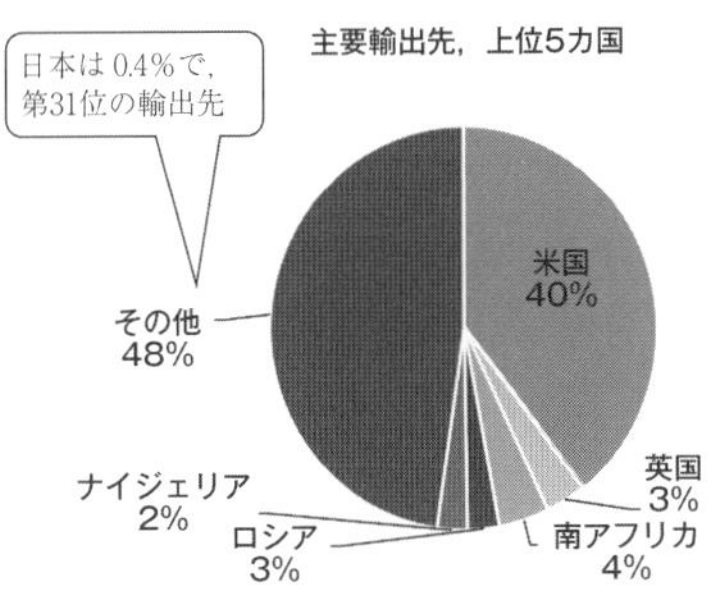

図２　インドの医薬品主要輸出先（2021年）［出典：インド商工省商務局貿易統計（https://tradestat.commerce.gov.in/eidb/default.asp）より作成］

世界貿易機関（WTO）の知的所有権の貿易関連の側面に関する協定（TRIPS協定）がある。[5] TRIPS協定の義務履行のため、インドは二〇〇五年改正特許法を制定し、物質特許を導入し、インドの知的所有権保護は強化されることとなった。インド企業は知的所有権を梃子に成長する戦略に転換し、研究開発能力の強化に注力した。また、インド企業はCRAMS（医薬品研究開発受託および製造受託サービス）とよばれるアウトソーシング事業を拡大し、医薬品のグローバル・バリューチェーン[6]に本格的参入を果たした。現在、主要インド企業は多国籍企業の有力な提携相手としての地位を確立し、インドは医薬品の製造・輸出拠点だけではなく、研究開発拠点としても台頭している。

高い技術力で医薬品の差別化

インドのジェネリック医薬品が世界で受け入れられているのは、価格が安いからだけではない。従来から、インド企業は純度の高い医薬品を製造する技術に長けているなど、インドのジェネリック医薬品はその品質も高い。

さらに、グローバル・バリューチェーンへの参入を通じて、先進国の先端技術にアクセスすることにより、医薬品研究開発能力を獲得し、新しい技術を使用する製品を生み出し、ジェネリック医薬品の差

5　1980年代以降，知的財産を伴う国際取引が増大する一方で，偽ブランドや海賊版などの流通が拡大し，国際貿易に大きな損害を与えるようになり，知的財産権の保護強化が必要とされるようになったことを背景として，1995年に発効したWTO協定で，各国で異なる知的財産の保護水準を国際的に標準化されたものにするために，WTO加盟国が守るべき最低基準を定めた協定.

6　グローバル・バリューチェーンとは，多国籍企業が，複数国にまたがって生産工程を配置し，その中で財やサービスが完成されるまでに生み出される付加価値の連鎖である.

別化もはかっている。

インド企業が強みをもつ分野は製剤技術である。なかでも薬物を効果的にかつ集中的に送り込む技術で、薬剤などを膜などで包み込むことにより、途中で吸収・分解されることなく患部に到達させ、患部で薬剤を放出して治療効果を高める技術である「ドラッグ・デリバリー・システム」（薬物輸送システムともよばれる）がある。ドラッグ・デリバリー・システムは、医薬品の治療効果を高めるだけではなく、副作用の軽減も期待できるという利点をもつ。ジェネリック医薬品の高付加価値化に活用されている。

新薬とワクチンの開発

従来、医薬品の新薬や新しいワクチンの研究開発の中心地は、日欧米の先進国に集中してきたが、インドも新薬や新ワクチンの開発と商業化に成功し、研究開発拠点の一角として存在感を示し始めている。インドでは、マラリアなどの感染症、糖尿病などの慢性疾患、そして抗がん剤の分野での新薬が開発され、商業化されている。近年、バイオ医薬品の研究開発も急速に進展しており、特に特許失効後に販売されるバイオ医薬品、バイオシミラーの開発において、インド企業は成果を出し、世界をリードする存在に成長している。

インドは新型コロナウイルス・ワクチンの開発にも成功している数

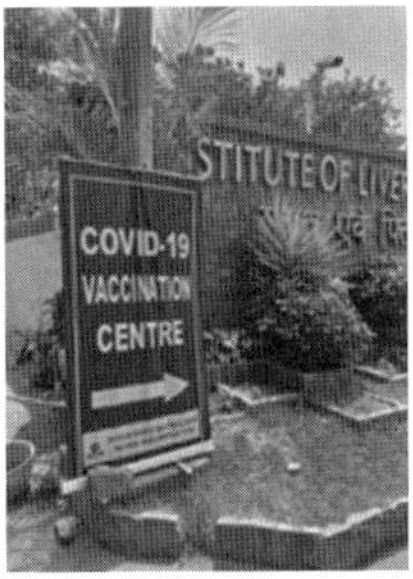

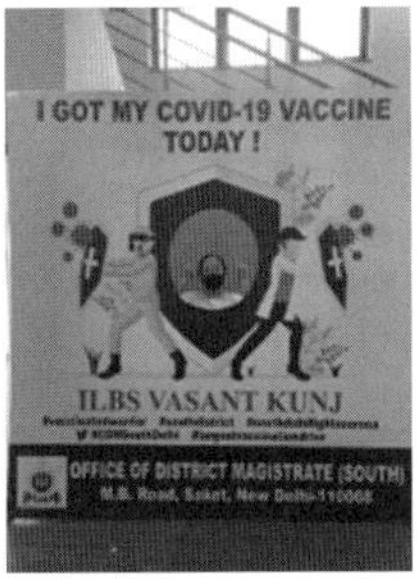

図3　新型コロナウイルス感染症（COVID-19）ワクチン接種会場・ワクチン接種証明
（左：接種会場入り口，中：接種会場内，右：ワクチン接種証明）

少ない国の一つである。インドの特筆すべき点は、不活化ワクチンをはじめ、高度なバイオテクノロジーを使用するワクチンなど複数種類の新型コロナウイルス・ワクチンが開発されていることである。さらに、それらの新ワクチンの中には、吸入型や無針投与型などの新しい投与形態のワクチンが含まれている（表2）。また、インド主要企業はジェネリックメーカーにとどまらない医薬品ビジネスのオールラウンドプレイヤーとなっている。

国境を越えるオープン・イノベーションと高度人材

新薬やワクチンの開発は、インド製薬企業が海外の製薬企業や研究機関とのオープン・イノベーションを積極的に進めることで実現してきた（図4）。オープン・イノベーションとは、企業内部のアイデアと外部のアイデアとを有機的に結合させ、価値を創造することであり、企業は外部アイデアを企業内に導入して利用する、あるいは企業内のアイデアを外部において活用することが可能となる。インド製薬企業はオープン・イノベーションを推進することで、自社の内部資源（知識や技術）と外部資源（知識や技術）を結合させ、新しい製品を開発している。

インドの高い研究開発能力を支えているのが高度人材である。インドにおいては、官民協力のもと、ライフサイエンスの高度人材の育成

表2　インドの国産ワクチン一覧

開発企業	ワクチンの種類	投与形態	承認年月	価格（1回分）	備考
バーラット・バイオテック	不活化ワクチン	注射	2021年5月	約410円（225ルピー）	
ザイダス・ライフサイエンシズ	DNAワクチン	無針投与型	2021年8月	約480円（265ルピー）	世界初のCOVID-19用DNAワクチン／無針投与型／12才以上の子供使用可
ゲンノヴァ・ファーマ	mRNAワクチン	注射	2022年7月	未定（政府と交渉中）	
バーラット・バイオテック	アデノウィルスベクターワクチン	経鼻吸入型	2022年9月	未定	世界初のCOVID-19ワクチンで経鼻吸入型ワクチン

［出典：各企業のプレスリリースあるいはインド現地新聞情報より作成］

に努めている。バイオテクノロジー産業の集積地であるカルナータカ州では、フィニッシング・スクール・プログラム（職業訓練学校の一種。職業能力の開発を目的とする）を実施し、大学・研究機関と企業が協力し、即戦力となる人材を育成し、インド製薬企業に人材を供給している。短期間での新型コロナウイルス感染症ワクチンの開発の成功はオープン・イノベーションの積極的な推進とインドにおける人的資本開発の成果といえる。

ヘルスケア産業の成長

インドでは、経済成長に伴う所得水準の上昇を背景に、製薬産業以外のヘルスケア産業も成長している。以下では、医療機器産業、医療保険ビジネス、病院ビジネス、そして薬局ビジネスの成長について概観したい。

医療機器産業におけるメイク・イン・インディアとリバース・イノベーション

インドの経済成長に伴う所得の上昇、医療保険の浸透、そして医療ツーリズムの拡大も医療機器の需要増大の背景に、インドでは医療機器産業が急成長している。

医療機器産業は、絆創膏などの消耗品からＣＴやＭＲＩなどの画像

図4　インドバイオ医薬品企業最大手，バイオコン（Biocon）本社前．バイオコンはインドでオープン・イノベーションを推進する代表的な企業で，バイオ医薬品分野で新薬も開発している．研究開発のアウトソーシング事業を担うインド最大の医薬品開発業務受託企業（CRO）シンジーン（Syngene）を傘下に持ち，グローバルなアウトソーシング事業も担う．同社はインド製薬企業として唯一フィニッシングスクール（134ページ）を運営し，バイオ医薬品分野の人材育成にも貢献している（2019年5月）

診断機器に至るまで、多様な製品群から構成されている。インドの医療機器産業は輸入依存度が高く、特に輸入依存度が高い製品群は、先端技術や高度技術を使用するCTやMRIに代表されるハイエンド医療機器である。医療コストを削減し、医療アクセスの改善を進めるためは、医療機器の輸入依存を解消することが必要である。現在、医療機器の国産化が、「メイク・イン・インディア（インドでつくる）」キャンペーン[7]のもとで推進されている。国産化によって、医療機器の価格を四〇～五〇％引き下げることを目標としている。

インドの医療機器産業において、注目すべき現象として、リバース・イノベーションが推進されていることがある。インドのハイエンド医療機器市場は、ビッグ3とよばれる外資系企業のゼネラルエレクトリック（GE）、フィリップス、シーメンスの三社が七〇％前後のマーケットシェアを保有しているが、こうした外資系企業がリバース・イノベーションを牽引している。これらのビッグ3など外資系企業は、先進国で開発された製品を新興国向けに手直し、事業展開していた。リバース・イノベーションは、新興国で開発された製品が先進国に展開されて成果をあげることを指す。インドにおけるリバース・イノベーションの先駆的な事例としては、二〇〇〇年代初めに、GEが小型・低価格の携帯型心電計をインド農村部向けに開発し、その心電計が米国でも販売され、業績をあげたことである。現在、外資系医

7　「メイク・イン・インディア（Make in India）」は，モーディー首相が就任した2014年から開始された製造業振興キャンペーン．インドの投資環境を整備し，直接投資の誘致を促進し，国内総生産（GDP）に占める製造業の割合を15％から25％に引きあげる目標を掲げる．インドにおける新規雇用の創出，貿易赤字の縮小，さらには輸出の拡大を目指す政策．

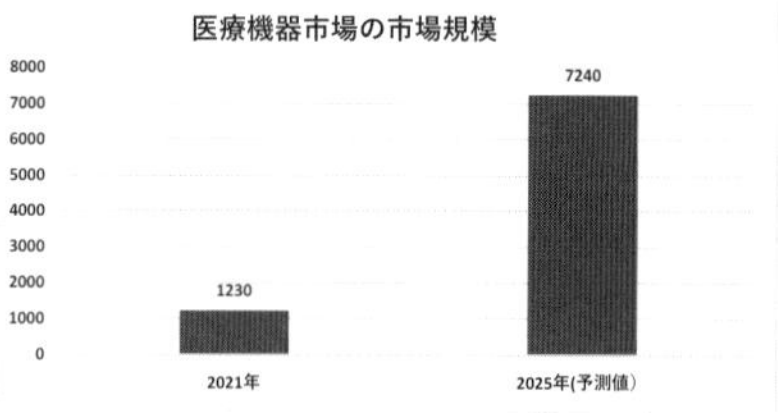

図5　インド医療機器の市場規模（単位：億円）［出典：インド・ブランド・エクイティ基金（IBEF）「医療機器産業レポート 2022年6月」，p. 3（https://www.ibef.org/download/1661490628_Medical-Devices-June-2022.pdf）より作成］

療機器企業はインドに研究開発拠点を設置して、リバース・イノベーションを推進している

高度医療と医療ツーリズム

所得水準の上昇と中間層の拡大を背景に、インドにおいて高度医療のニーズが高まり、病院ビジネスの拡大につながっている。株式会社病院とよばれる病院グループが登場し、インドにおける高度医療をリードしている。主要な病院グループには、アポロ・ホスピタルズ、マックス・インディア、マニパル・ホスピタルズがある。インドの医療ビジネスを支えているのが、外国人を招致する医療ツーリズムである（図６）。インドでは欧米の先進国と同レベルの治療を受けることができるといわれており、しかもインドは欧米先進国に比較して、手術費用が低く、インドでの滞在費を含めたとしても、医療費を半分程度に抑えることができるといわれている（図７）。

以上の病院グループが経営する病院の多くは、病院の医療評価における国際的規格（ＪＣＩ）の認証を受けており、そうした国際的認証による信用を背景に、外国人患者の誘致に成功している（表３）。

デジタル化とオンライン薬局

インドには約七〇万店舗を超える薬局が存在しているが、それらの

図６　医療ツーリズムのポスター

大半が家族経営の小さな薬局である。近年の医療ビジネスの拡大の波を受けて、薬局の業態にも大きな変化がみられている。大手薬局チェーンが登場し、業界の構造に大きな変化が起こっている。アポロ・ホスピタルズの傘下のアポロ・ファーマシー、メドプラス、ヘテロ・ファーマシーなどの全国規模で展開する大手薬局チェーンが登場し、薬局ビジネスを牽引している。アポロ・ファーマシーはインド最大手の薬局グループであり、インド一八州に二五〇〇店舗展開している。実店舗数の拡大に加え、大手薬局チェーンの成長を支えているのが、オンライン薬局である。デジタル化の進展によるe-ファーマシーが進展し、オンライン薬局が増加していたが、新型コロナウイルス感染症の流行のもと、インド政府の販売ガイドラインの整備も大きく進展したことで、オンライン薬局の拡大は勢いづいている。オンライン薬局大手のネットメズやメドライフ、ターター・グループやリライアンス・インダストリーズなど財閥系大企業などの地場資本に加え、二〇二〇年八月、アマゾンがインドでオンライン薬局「アマゾン・ファーマシー」を開始するなど競争が激化している。大手の参入により、オンライン薬局の利便性の向上にもつながるものと考えられる。

公的健康保険制度の未整備と医療費の高い自己負担

多くの国では、医薬品の価格を公的に設定し、公的健康保険制度と

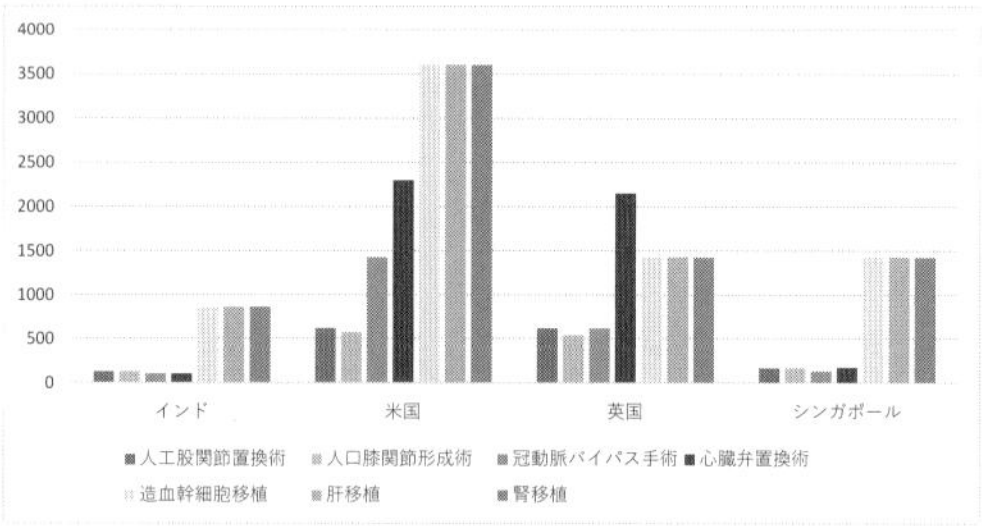

図7　インドと先進国との各種医療費の比較（単位：万円）
［出典：Medical Tourism statistics and Facts, Health-Tourism.com(https://www.health-tourism.com/medical-tourism/statistics) より作成］

併用することで、適正な価格で医薬品を供給し、国民の経済負担に努めている。インドは独立以来、国民の医療アクセスや医薬品アクセスを向上するために、さまざまな政策を実施してきた。製薬産業の振興に加え、一九七〇年には、医薬品価格規制令を発布することで、医薬品価格を低く抑制してきた。インドの医薬品価格は世界でも最も低い水準に維持されている。

しかしながら、インドでは、医療費の大半は医薬品の購入費であり、国民の大部分は医薬品購入費の大部分を自己負担している。上述のとおり、近年インドでは医療保険ビジネスが拡大し、健康保険が普及してきている。[9] しかしながら、医療保険に加入できるのは中間層以上であり、多くの国民は医療保険に加入することができない。また、医療保険はいずれも通院や入院費用をカバーするが、薬剤費はカバーしない。治療費で最も大きな部分を占める薬剤費については自己負担であり、医療保険が消費者の経済的負担の軽減に必ずしもつながっているわけではない。

インドの医療アクセスを阻害している原因の一つには、公的健康保険制度が十分に普及していないことにある。インドでは公的健康保険制度が十分に普及していないことは、国民の医療費の高い自己負担を引き起こしている。自己負担を軽減する目的で、二〇〇七年以降、中央政府および州政府は政府支援型健康保険制度を開始した。政府支援

9　インドの医療保険ビジネスについては，佐藤隆広・上野正樹編，2021『図解インド経済大全』白桃書房，16章を参照されたい．

表3　医療ツーリズム振興国のJCI認証病院数と医療費の削減率（対米国比）の比較

	JCI認証病院数*1	医療費の削減率（対米国比）*2
インド	40	65 − 90%
マレーシア	13	65 − 80%
ブラジル	63	20 − 30%
タイ	59	50 − 75%
メキシコ	7	40 − 65%

［出典：＊1　JCI-Accredited Organizations, Joint Commission International（JCI）（https://www.jointcommissioninternational.org/about-jci/accredited-organizations/），＊2　Medical Tourism statistics and Facts, Health-Tourism.com（https://www.health-tourism.com/medical-tourism/statistics）より作成］

型保険制度は、貧困層世帯、貧困線以下の世帯を対象としている。間の保険料は二〇〇〜三〇〇ルピー（一ルピー＝一・七円、三四〇〜五一〇円）と非常に低額であるか、ケースによっては納入の必要もない。保険が適用される疾患と保険支給額の上限が指定されているものの、政府系の病院および一部の民間病院での入院治療費に適用され、原則として加入者は治療費の立て替えの必要がない。しかしながら、政府支援型健康保険制度は、外来診療および院外処方された医薬品の購入費は適用外となっており、国民の医療費負担の軽減に対する貢献は大きくない。また、貧困線以上世帯を対象としておらず、貧困世帯をすべてカバーしていないことにも注意が必要である。

州医療公社による医薬品無償供給サービスと国営薬局

　インドでは医薬品価格規制令のもと、医薬品の価格は世界でも最も低い水準に抑えられているものの、多くの国民、特に貧困層にとっては依然として医薬品は高価である。インドでは医薬品購入費が医療費の七〇％を占めており、それが自己負担となっている。このような状況を改善するために、ケーララ州やタミル・ナードゥ州においては、州政府が医療サービス公社を設立し、州独自の必須医薬品リストを作成し、そのリストに収載されている医薬品を入札により企業から調達し、州内の政府系病院や公的医療機関において無償で供給する「医薬

図8　モーディー・ケアのポスター写真

品無償供給サービス」を実施している。[8] 州内の医薬品アクセスの改善に努力している。

中央政府レベルにおいては、医薬品価格規制令で定められる公定価格よりも安価にジェネリック医薬品を販売する薬局チェーンを展開している。二〇〇八年に、ジャン・アウシャディ（大衆のための医薬品）スキームとして発足し、モーディー政権発足後は、再建スキームのもと、「プラダーン・マントリ・バーティヤ・ジャンアウシャディ・パリヨージュナ（PMBJP）」と名称変更され、民間企業との協力と提携を拡大し、薬局店舗の設置数の拡大を進めている。

モーディー・ケアの導入とデジタル化

二〇一八年、モーディー政権は「アシュマン・バーラト・ヨージューナ（国家健康保険保護スキーム）」（通称、モーディー・ケア）を開始し、国民に健康保険を保証する政策を導入した（図8）。モーディー・ケアは貧困層に経済負担を負わせることなく、健康保険の恩恵を受けることが可能になるようにすることを目的としている。モーディー・ケアの対象人口約五億人とされ、一世帯当たり五〇万ルピー（約八五万円）の医療費が支給される。インド政府は、医療機関および保険会社と協力して、世界最大の公的医療保険制度の運用にあたる。二〇二〇年八月、モーディー政権は「ナショナル・デジタル・ヘ

8　ケーララ州およびタミル・ナードゥ州の「医薬品無償供給サービス」の詳細については，佐藤創・太田仁志編，2017『インドの公共サービス』アジア経済研究所，第2章「インドにおける医薬品供給サービス」（上池あつ子）を参照されたい．図9～図11は，ケーララ州医療公社運営の薬局の看板と窓口の様子，薬局で働く薬剤師．

図9　ケーララ州医療公社運営の薬局の看板［(2015年9月]

ルス・ミッション」の開始を発表し、すべてのインド国民に固有の健康ＩＤを発行して、診療記録のデジタル化を実現し、共通データベース上での管理を目指す。共通データベースには、インド全土の医師や医療施設の登録情報も登録される予定で、これによりすべての州、病院、薬局などで利用可能な医療デジタル情報の基盤が整備され、インドの医療アクセスの改善につながることが期待されている。

インドの医療の「光」と「影」と

製薬産業を筆頭とするヘルスケア産業の成長は、インドの医療における「光」の部分である。特に、製薬産業の成功はインドの医療アクセスの改善に大きな役割を果たしてきただけではなく、世界の医療アクセスの向上にも大きく貢献している。

その一方で、国民の多く部分、特に貧困層が医療にアクセスできない状況が、インドの「影」の部分である。インドは、独立以来、医療アクセスの改善のために、さまざまな政策を実施し、インドの医療アクセスは向上してきた。しかしながら、依然として医療アクセスにおける課題は山積しており、中央政府レベル、州政府レベル、そして官民の協力で解決に向けた努力が続けられている。今後、「光」の部分がさらに成長することで、インドの「影」の部分を小さくすることが期待される。

［上池あつ子］

図 10　薬局の窓口［(2015 年 9 月］

図11　薬局で働く薬剤師の女性［(2015年9月］

コラム 3

都市文化としての美容産業

美の政治学

二〇〇〇年は、インド女性の「美」に対して、世界から注目が集まった年である。なぜならばミス・アジアパシフィック、ミス・ユニバース、ミス・ワールド[1]の世界三大ミス・コンテストのすべてで、インド女性たちが一位に輝いたからである。インドのミス・コンテスト優勝者たち[2]の多くは、一〇代のうちからテレビや雑誌のモデルとしてキャリアを積み、ミス・コンテストでの優勝を皮切りにインド映画界へと進出を果たすのが、一つのキャリアコースとなっている。特に二〇〇〇年のミス・ワールド覇者プリヤンカ・チョープラーは、インド映画のみならずハリウッド映画界でも活躍しており、現在でも欧米版やインド版のヴォーグ誌において、たびたび表紙を飾っている。プリヤンカの美貌とそれを支えるライフスタイルは、インド都市中間層以上の若い女性たちにとっても注目の的となっている。プリヤンカが愛用する美容製品や、祖母から教わったという、自家製アーユルヴェーダパックのレシピ[3]が紹介されると、SNSを介して瞬く間に女性たちの間でトレンドとなる。

1　1994 年のミス・ユニバースでは，スシュミタ・センが，1995 年に行われたミス・ワールドでは，アイシュワリャ・ラーイーが栄冠に輝いた．両者ともインド映画の女優となっている．この二人の登場以降，インド国内でもミス・コンテストに対する見方は変化した．

2　歴代ミス・コンテストの優勝者

ミス・ワールド：ライタ・ファリア（1969），アイシュワリャ・ラーイー（1994），ダイアナ・ハイデン（1997），ユクタ・モーケイ（1999），プリヤンカ・チョープラー（2000），マヌーシ・チッラー（2017）

ミス・ユニバース：スシュミタ・セン（1994），ララ・ダッタ（2000），ハルナーズ・サーンドゥ（2021）

ミス・アジアパシフィック：ジーナット・アフマン（1970），タラ・フォンセカ（1973），ディア・ミルザ（2000）

こうしたエピソードは一見華々しいものにみえるが、ミス・コンテストやそれに出場しようと飾り立てる女性たちは、一九九〇年代に至るまで軽薄な存在として、批判を受けてきた。例えば一九六五年に、ミス・コンテストが南インドの都市部で開催されることが告知されると、コンテストが女性の身体やセクシュアリティを商品化しているとしてヒンドゥー至上主義団体やフェミニストによる猛烈な抗議活動が行われた。特に問題となったのは、肌を露出した水着審査の存在である。[4]人前で脚を見せることや肌を露わにすることへのタブー視は当時根強く、一九六六年のミス・ワールドでインド代表として初優勝（アジア代表としても初めての優勝者であった）を果たしたレイタ・ファリアも、[5]賞賛を浴びたり、女性たちの羨望の的になることはなかった。ミス・コンテストの場以外でも、過剰に化粧をした女性たちは売春婦であるとして、性的規範から逸脱した存在のように扱われることも多かった。女性の美と、それに対する主体的な価値意味づけは、九〇年代のインド経済自由化の到来まで長く等閑に付されてきたのである。

インド経済自由化と美容業界の発展

一九九〇年代の経済自由化以前のインドでは、美容製品に対して高い税金がかけられてきた。そのため美容製品が広く一般層に普及して

3　プリヤンカのアユールヴェーダレシピは，VOGUE の公式 YouTube で公開されている（Priyanka Chopra’s All-Natural, DIY Skin Secrets：https://youtu.be/948MLgRGNyU）
　例えば，手製アーユルヴェーダのリップスクラブのつくり方として，海塩，植物由来のグリセリン，ローズウォーターを混ぜて唇に塗る．その後軽くこすって角質を落とし，拭き取ると書かれている．

4　水着審査への抗議や活動を避けるために，インドで開催されるミス・コンテストの水着審査は，沖合の島で開催されてきた．

5　ミス・ワールドを獲得以降，インド映画への出演オファーもあったとされるが，長くインドに帰国することはなかった．コンテスト後に英国へ留学して医学を専攻．英国で出会った男性と結婚し，現在はアイルランドに居住している．

いるとはいいがたく、商品の選択肢もほとんど存在していなかった。しかしインド美容衛生協会の調査によると、二〇二一年の美容およびパーソナルケア産業（BPC産業）は、一〇〇億ドルにのぼると推定され、年率五～六％の割合で成長を遂げている。インドの都市部で急増する「ビューティーパーラー」とよばれる、眉毛ケアや、ネイルケアを担う店舗では、一回の平均支出額が、二〇〇〇～四〇〇〇ルピー（日本円にして約三六〇〇～七二〇〇円）となっている。決して安いとはいえない金額を支出することができる中間層や新中間層は、まさに九〇年代のインド経済自由化によって台頭してきた人々である。またBPCに関わる市場調査の結果によると、六八％の若年男性が、みだしなみ製品を使うことで、自信がもてると回答しており、女性だけではなく男性にも広く美容が受容され始めていることを示している。[6]

BPC産業で働く女性たち

美意識の高まりと市場の拡大は、新たな雇用の創出にもつながっている。筆者が研究の対象としてきた大衆芸能の踊り子[7]や、性産業に従事する女性たちの経済的自立を目指す職業訓練支援として、急成長を遂げるBPC産業が選ばれている。パーラーに勤務する女性によると、朝一〇時の開店から夜七時の終業まで、常に予約は埋まっているという。重労働かつ、長時間の接客業務だが、客に施術する前に、自

6　The Economic Times, 2017.10.30, Indian Cosmetics Industry to Touch $35 billion by 2035: Survey（2022年1月12日閲覧）

7　飯田玲子, 2020『大衆芸能と都市文化―タマーシャーの踊り子による模倣と欲望の上演』ナカニシヤ出版.

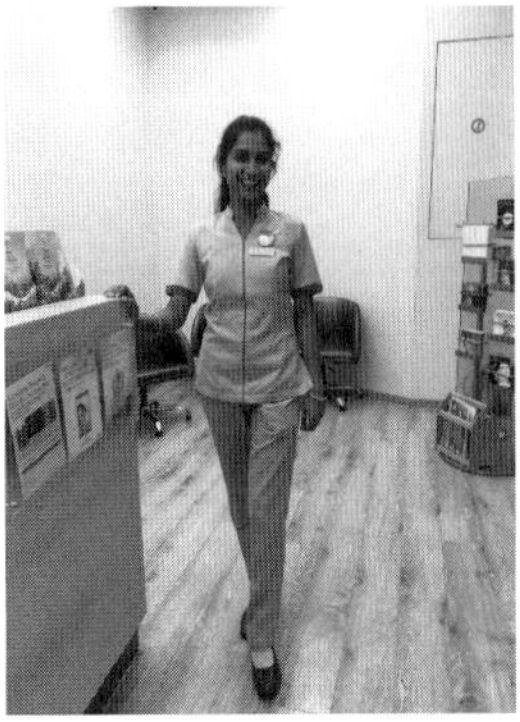

図1　ビューティーパーラーに勤務する女性

らで化粧品を試す機会があり、それによって自分自身が美しく変容していくことに喜びを見出しているという。また、それを女性客に施術することで、その人が美しくなっていくことにもやりがいを感じていると彼女たちは語る。

筆者の研究対象である踊り子は、娘への教育投資を惜しまずカレッジに進学させ、踊り子にはしなかった。現在は、富裕層向けのエステで施術者およびマネージャーとして勤務している。[7] このエステは、現在インドに九七店舗を構えており、湾岸諸国にも進出している。自社での商品開発にも力を入れており、アーユルヴェーダを用いた商品や、スキンケア商品も販売している。パーラーやエステに勤務するスタッフは、これらの最新美容衛生商品を、いわゆる社割で格安で購入することが可能だ。そうした最新商品を踊り子の母や叔母にあげるととても喜ばれるのだと、前掲の彼女はいう。踊り子のメイクボックスを覗いてみると、街の市場で買ったと思われる安価な化粧品とともに、富裕層の女性がこぞって使用している石けんが入っていた。これは娘が送ってくれたものなのだと、優しいミルクの香りがする石けんを見せてくれた踊り子の顔は美しかった。高額なものも安価なものも、一つのメイクボックスに入っていることが、何とも多様なインド世界そのもののようである。

［飯田玲子］

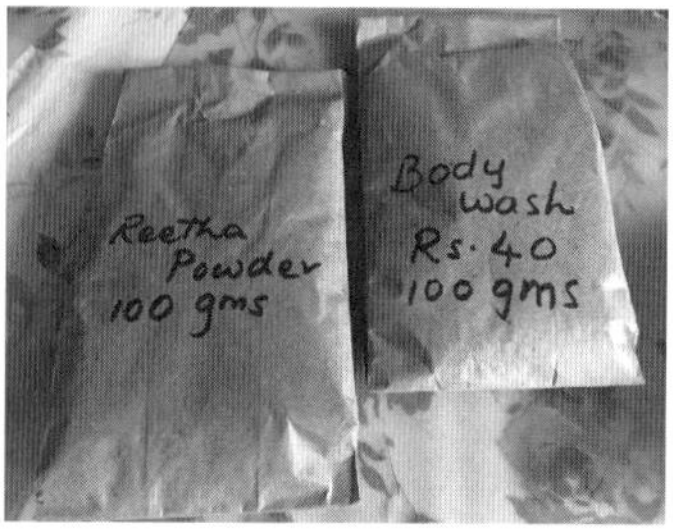

図3　人気の高いアーユルヴェーダ処方のムクロジエキスシャンプーと粉状石けん

図2　踊り子のメイクボックス

10

インドの中間層[1]の家庭における食の変遷

毎年夏休みはインドのプネーの友人宅に滞在して調査を行ってきた。里帰り気分でくつろいでいると、まず「何が食べたい？」と訊かれる。私は迷わず「ワラン・バート！」（図1）と答える。ワランとはキマメを炊いてウコンで色をつけただけのスープで、それを炊き立てのご飯にかけ、上からギー（精製バター）[2]をたらし、好みの量の塩とライムを絞って混ぜて食べる、マハーラーシュトラ料理[3]のスターのようなものだ。ご飯はできればアンベーモハールというマンゴーの花の香りのするお米がベストである。このシンプルな料理がいつも一番恋しくなる味である。

一九八〇年代から二〇二〇年の変化

この項では、一九八〇年代から二〇二〇年までの四〇年間にわたるインドの家庭の食の変化を概観したい。言及する地はマハーラーシュトラ州のワルダーとプネー[4]である。一九八〇年代のインドは経済自由化政策[5]以前で外食産業も発達しておらず、家庭での食事が基本であった。旅先でレストランに入ると社用族とおぼしきインド人男性が食事

図1　ターリー（皿）によそわれた食事．手前がワラン・バート

1　2000年以降都市部を中心にいわゆる「新中間層」とよばれる，かつての植民地時代のエリートである「中間層」とは異なる新たな消費を担う層が生まれた．この「新中間層」についてはまだ明確が定義はないが，年収額が日本円にしておよそ40万～200万円（NCAER＝国立応用経済研究協議会，2005）の定義をもとにするとおよそ3億人以上存在するといわれる．

2　ヒンドゥー教徒にとっては最も浄性が高いとされる食物で，儀礼においても供物として利用される．クリームを撹拌してできたバターの水分を除いた純性の油．

しているだけだった。一九九〇年代に入って経済自由化政策が推し進められ、世界の情報がインドに流入するようになると、食のシーンも大きく変化した。二〇〇〇年に入り、ショッピングモールが林立すると、併設されたフードコート（図2）で世界の食文化が味わえるようになり、家族揃って外食をすることは当たり前となる。おしゃれなカフェやレストランができ、デリバリー・サーヴィス（図3）も充実するようになった。

食におけるケガレ意識

一九八一年から二年間暮らしたワルダーは、外食するレストランはバススタンドの軽食屋と月ぎめで定食を提供するメス[6]しかなく、自炊が大前提であった。当時勉強していたラーシュトラ・バーシャー・プラチャール・サミティ（国語普及協会）[7]の寮には台所の設備もなく、個々の部屋でバケツに水を汲み置き、石油コンロを使って調理をした。市場は自転車で二〇分くらいかかるところにあり、週一回の買い物が大仕事で、ありったけの袋をもって買い物に出かけた。穀物や調味料は量り売りで、使い古しの紙に包んで手渡される。野菜も袋を持参しなければ買えなかった。今思うと、非常にむだがなく環境にやさしい生活であった。

自炊の単調な食生活の中、先生やご近所からの食事の招待がありが

3　マハーラーシュトラ料理を特徴づけるのは，主食が北の小麦と南の米とともに雑穀もとられている点である．油はミーター（甘い）テール（油）ともいわれるピーナツ油が主体である．海岸沿いでは魚も食べられているが菜食が主流である．

4　ワルダーもプネーもマハーラーシュトラ州の都市．ワルダーはインドの真ん中ナーグプルの南にあり，ガーンディーがセーヴァグラム・アーシュラム（奉仕の村道場）を開いた地として知られている．プネーはデカン高原の西端部にある文教都市．

5　1991年，ナラシンハ・ラーオ政権下実施された開放経済改革．

6　軍隊の食堂を表すMess．学食や月ぎめ食堂をメスと総称する．英国統治時代の名残の名称．

7　ヒンディー語を国語にするためにガーンディーが1936年に設立した協会．

たかった。当時は普通の家庭にもガスは普及しておらず、石油コンロによる調理が一般的であった。学校内には教員やスタッフが暮らしており、イスラーム教徒の先生の家では毎週日曜日にヤギ肉カレーがつくられ、時々お相伴にあずかった。先生の家の前で骨を心待ちにしている犬たちを見ると、隣家の菜食のヒンドゥー教徒が両手で両耳たぶを交互につまんで「ラーム、ラーム（くわばら、くわばら）」と唱えていた。敬虔なヒンドゥー教徒にとっては、隣家で肉を調理しているだけでも耐えられなかったようだ。また、親しくしていた友人の家は保守的なバラモンの家庭で、よく食事に招かれ家族と食卓をともにした。しかし、村から厳格なおばあさんが来ているときは、私のような非菜食者[8]で飲酒もしている者はケガレているとして、一緒に食卓にはつけず、別に食事が供された。申し訳なさそうにしていた友人の顔が忘れられない。

血のケガレ意識も強く残っており、そのケガレは伝染し、家族を病気にさせると信じられていた。そのため生理期間中は隔離[9]され、台所には近づけず家族との接触を避けねばならない。インドでは試験に合格すると合格した人がお菓子を配って報告する慣習がある。あるとき生理で隔離中の友人のもとに、それとは知らずに訪れた日本人が祝いのお菓子三kg持参し、「ご家族と分けて！」と手渡したが、家族は誰も食べず、友人は一人で何日もかけて食べたという笑えない話があ

8　非菜食者はNon-Vegetarian略してNon-Veg.とよばれる．ヒンドゥー教では，「死・血・唾液・目ヤニ・耳垢・毛・フケ・汚物など体からの排出物」などが不浄とされており，肉は死と血に関わるため不浄とされている．詳細は，渡瀬信之，1990『マヌ法典』中公新書参照．

9　血のケガレ意識は古今東西に存在するが，インドでは現在も地域やコミュニティによっては生理中の隔離の慣習が守られているところもある．

図2　フード・コートの入り口

図3　元祖デリバリー・サーヴィスであるダッパー・ワーラー（弁当配達人）の銅像．現在ZOMATなど多数のデリバリー・アプリが盛況である

る。また、食の場におけるケガレは唾液が媒介すると信じられているため、人が食べかけたものは不浄とされる。結婚式など大勢が共に食事をする際は、ケガレを寄せ付けないとされるたっぷりの油を用いた料理[10]が供される。

家庭料理

プネーに移り、自由にいつでも外食できる環境になると不思議な解放感を感じた。近所に親しい友人ができ、毎日のように家庭料理をご馳走になった。菜食の家庭料理は、主食は全粒粉を一枚一枚のばして焼いたチャパーティー（図４）と白米。必ず何らかのダール（豆のスープ）[11]と野菜のサブジ（惣菜）が基本で、そこにアチャール[12]と総称されるピクルス、サラダ、箸休めまたは舐め物を意味するチャトゥニー[13]が彩りを添えている。季節ごとの野菜を使ったサブジは油とスパイスの炒め煮で、量はあまり多くはない。シンプルな食事だが、焼き立てのチャパーティーや炊き立てのご飯にギーを垂らして食べると最高の味わいである。ご飯と豆は圧力鍋[14]で同時に調理され、時間が節約される。マハーラーシュトラに限らず、インドでは昼食がメインで、朝はチャーエとビスケットで軽く済ませ、昼食を早めに取ってから学校や仕事に向かう人が多い。小型のテフィン[15]にチャパーティーと少量の汁気のないサブジやスナックを入れてお弁当とすることもある。夜

図４　チャパーティーを１枚１枚焼いているところ

10　インドでは「パッカー（*pakkā*）」と「カッチャー（*kacchā*）」という概念があり，パッカーは熟したという意味と油で十分に調理され，ケガレをよせつけないという意味がある．カッチャーは生・未熟を意味し，油を使わず煮炊きした料理をカッチャーな料理とよび，ケガレを寄せ付けやすいと信じられている．

11　dhāl ひき割りにして煮えやすく加工した豆のこと，またそれでつくったスープのこと（吉田よし子，2000『マメな豆の話』平凡社）．

12　acār. インドのピクルスは未熟なマンゴーやライムなどを原料として油とスパイスを使って漬け込まれる．

13　caṭnī 舐め物の意味．コリャンダーの葉や果物などに塩・スパイスなどを加えて一緒にすりつぶしてつくる薬味のようなもの．チャツネ．

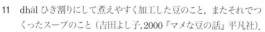

は昼の残り物をアレンジして軽く済ませる。友人宅は両親共働きのため、学生だった友人とその妹も交替で調理を担当していた。

一九八〇年代当時は、穀物や豆類は一年分をまとめ買いして、家に貯蔵している家が大半だった。夏は買った穀物のごみや石[16]を取り除き、十分に乾燥させるという大仕事があり、家中総出で行っていた。ピクルスづくりやパーパル[17]という煎餅状の保存食づくりにも夏の強い日差しが不可欠なため、夏中主婦は大忙しである。

経済自由化政策以降

一九九〇年代に入ると、スーパー・マーケット（図5）ができ、見栄えよくパックされた米や全粒粉が手に入るようになる。この頃から、でき合いの混合マサーラーやレトルトパックのカレーなどが売り出され、女性たちの家事労働時間が劇的に軽減された。九〇年代後半には外食産業も盛んになり、月に一回程度の家族での外食が一般的になった。

ファミリーレストランとしてMacやドミノピザなどが展開したのもこの時期だ[18]。それらを気に入った子どもたちのリクエストにより、インドの家庭料理にピザやパスタが取り入れられるようになる。

二〇〇〇年代初頭、女性が協同で家庭的な食を提供するケイタリング・ビジネスを起業するのが流行した。安全安心な家庭の味を売りに

図5　スーパーマーケットの店内

14 Pressure Cooker 米とダールを効率的に調理できる．家事労働の軽減に不可欠の調理器具である．

15 ステンレス製の弁当箱．3段から5段重ねのものもある．

16 米と見分けがつきにくい白い小粒の石を米の重量を割り増しするために混ぜられており，小石を生産する工場もあると噂されていた．

17 豆やジャガイモをすり潰し，煎餅状にのばして乾燥させた円形の嗜好食品．焙ったり，油で揚げて食べる．

18 これらの店がニューデリーやムンバイーに初出店したのは1995,96年のことである．

し、祭りや儀礼の特別料理は特に需要が多かった。基本的に「手づくり」を求める声が強く、働く女性たちの救世主となっている。

この頃、各家庭での食材購入費などの聞き取り調査を行った。日本の一般家庭に比べて油と砂糖、ミルクの消費量に仰天させられた。[19]また、主婦が食事づくりを主とした家事にかける時間の長さに驚いた。[20]多くの家庭では通いのお手伝いさんを雇い、チャパーティーづくりや、使用した調理器具・食器洗いを任せていた。あくまで料理はその家の主婦が行うのが基本であったが、食材の管理や配膳など食に関わる家事は日本以上に多い。

「キッチンという名の牢獄」

二〇二一年に公開された南インドの映画「グレート・インディアン・キッチン」[21]で描かれる主婦の家事労働の大変さは決して誇張ではない。映画では中東育ちで高等教育を受けたモダンな主人公が、南インドケーララ州カリカットの保守的な家庭に嫁ぎ、姑の指導のもと慣れない家事に励んでいた。調理の場面を俯瞰的にとらえた映像は臨場感あふれ、料理のにおいも感じさせる迫力がある。姑が義妹の出産の手伝いに出かけ、主人公が一人でひたすら家事に奮闘するさまがドキュメンタリー風に描かれる。スパイスはミキサーではなく、すり石(図6)で挽かないとおいしくない、ご飯はかまど炊きでなければだ

19 常時10人分ほどの食事をつくっていた知人宅の年間の油の消費量はなんと70 kg（月平均5～6 kg），砂糖は400 kg，ミルクが1日3～4 L（2005年聞き取り調査：小磯千尋・小磯学, 2013『世界の食文化8 インド』農山漁村文化協会，p.69）.

20 調理を主とした時間であるが，1回の食事のために1～1時間半はかけていた.

21 監督ジョー・ベービ，マラヤーラム語映画.

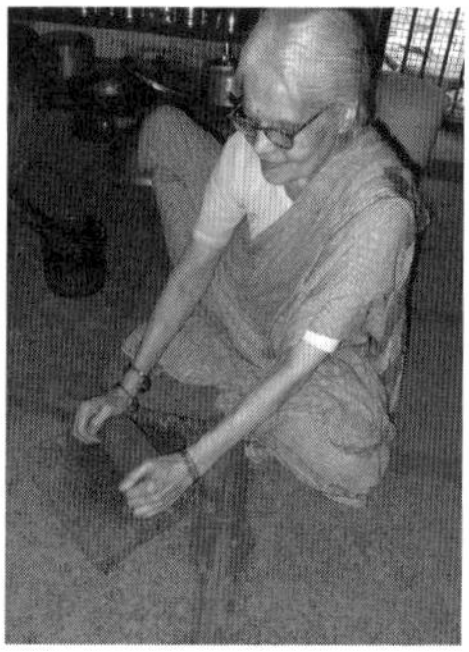

図6　石板・磨り棒

め、洗濯機は布を傷めるので手洗いをするようになどなど身勝手なことばかりいう夫と舅。洗い場の排水溝が壊れて、水が漏れるので修理を頼むも、のらりくらりとかわす夫。漏れ出した汚水を拭くたびに怒りが募っていく。そんな中、生理の期間中のみ隔離されるために家事労働から解放される、「キッチンという名の牢獄」とはこの映画のキャッチコピーだ。

健康志向――家庭料理における油

二〇一〇～二〇年のプネーでは、健康への意識が一気に高まってきた。ダイエットのためのジム通いや、食生活の改善に取り組む人が増えた。高価なプロテインダイエット（図7）が一世を風靡し、ダイエットのための自然療法アーシュラム[22]滞在などが知られてきたのもこの頃である。

インドの食生活では、油と砂糖の摂取過多が問題となっている。長年、糖尿病と心臓病が死因の主原因となっていた。それを回避するために、健康的とされるオリーブオイルなどが注目されるようになった。インド料理の味を決めるのは油とスパイスといっても過言ではない。地域によって使う油も異なり[23]、地域ごとの味を決定する要因となっている。

ムンバイー出身の友人はインドの食の変化を一言で表すなら、「油

22　本来はダイエットのためではなく，自然療法やアーユルヴェーダの施療所であったところが，長期逗留してダイエットを目的としたアーシュラム（道場）として人気を集めている．

23　インド北部や東部ではナタネ油，中部や西部ではピーナツ油，南部ではココナツ油が多く使用されている．その他，ゴマ油，綿実油，大豆油，ひまわり油なども生産されている．近年パーム油の輸入が伸びているという．関戸一平，2021「食用油」佐藤隆広・上野正樹編著『図解インド経済大全』白桃書房，pp.300-303.

図7　ミルクと混ぜて摂取するプロテイン．1缶を1か月ほどで消費し，3～4kgのダイエットに成功する人が多かった

の違いだ」と即答した。かつては、街角にあるガーナー[24]に原料をもち込んで、その場で油を搾ってもらっていたという。「搾りたての油で揚げたプーリーの味は最高だった」と涎をたらさんばかりに話してくれた。今の油は精製されすぎており、油本来の味がしないというのは、日本でもよく耳にする。マハーラーシュトラ州では調理油はピーナツ油[25]が主流であるが、自然療法アーシュラムに何度か滞在して施療を受けた友人は、現在使う油はココナツ油とギー（図8）に変えている。ココナツ油で調理すると、味は一気に南インド料理に変化するが、長年馴染んだ味よりも、「健康が一番」とのこと。もちろん砂糖も控えめで、飲みなれた濃厚なチャーエが物足りなく感じたのは日本人の私であった。友人は両親を糖尿病で亡くしており、「死ぬのはまったく怖くないが、糖尿病でだけは死にたくない」と宣言して、日々の食生活を律し、ヨーガやウォーキングに励んでいる。

［小磯千尋］

24 ghāṇā 油を搾る機械が店内にあり，その場で油を搾ってくれる．

25 ピーナツ油は「甘い油」ともよばれ，長年マハーラーシュトラ州で好んで使用されている．

図8　できあがったギーを保存容器に移しているところ

参考文献

- Achaya,K.T.,1998, Indian Food—A Historical Companion, Oxford University Press.
- Sen, C. T., 2015, Feasts and Fasts- A History of Food in India, Speaking Tiger.
- Achaya,K.T., 2009, The Ilustrated Foods of India A-Z, Oxford University Press.

11

インド社会と外食産業の発展

「今のブームは日本や韓国、それにチベットにネパールだね。スシ、テッパンヤキ、モモ（図１）……。そうそうポン酢はとてもおいしいソースだよね」。最近のデリーのレストラン事情を尋ねた筆者に、アルン（仮名）が自信たっぷりに語る。アルンは四〇代前半、二〇年以上デリーを中心とする都市部の外食産業に関わっている男性であり、筆者の留学時代からの古い友人でもある。

アルンは頻繁に転職をする。その勤務先はカジュアルダイニングを得意とする都市部のレストランが中心だが（図２）、それ以外にも外資のパンケーキ専門店やワイン専門店に勤めていたこともあり、とにかく聞くたびに勤め先の店名も彼の肩書も違う。日本的な価値観から抜け出せない筆者からみるとその転職の頻度に不安しか感じないが、店を変わるたびに順調にキャリアアップを重ねているところを見ると、どうやらそれはインドの外食産業ではごく一般的なキャリア形成らしい。もっともアルンにいわせると、同じところにずっと留まっているのは能力がない証拠らしい。その言葉どおり、出会った頃はイタリアンレストランで料理をサーブしていたアルンは、現在、インド北

図１　モモ．チベット文化圏で広く食べられる，餃子によく似た食べ物

図２　流行のカジュアルダイニング

西部の複数都市にレストランやバーを展開するグループの事業部長である。[2]

アルンはいってみればインド外食産業の「中の人」であり、彼の転職状況をみているとその時々の外食の流行や傾向がよくわかる。外からみる、つまり客の視点からのインド外食産業の現状に関しては、情報収集力、機動力そして経済力に長けた現地滞在者や旅行者が発信してくれる最新の情報に任せよう。またインドの社会文化状況から分析される外食産業の発展については、日系企業の進出の可能性を見据えた複数のレポートが参考になるだろう。[3]この章では、二〇〇〇年代に入って急激に発展した外食産業を、その内部で働く「中の人」の視点をもとに外観したい。言及する地はデリーを中心とする北インドの都市部である。

「中の人」アルンの誕生

二〇年以上デリーで暮らし「デリーっ子」を気取るアルンであるが、実際のところはインドで一、二を争う最貧困州、ビハールの出身である。高校を卒業し、デリー近郊にあるホスピタリティマネジメントの専門学校に進学した。進路選択の理由を尋ねると、医者になれるほどの学力がなく、次になりたいものを考えた時シェフが浮かんだのだという。よりよい教育機会を求めてビハールを離れ、すでに兄が暮

2　給与について尋ねてみると，新卒当時は1万5000ルピー，そこから20年で10倍強になったとのこと．

3　例えば以下の論文ならびにレポートが参考になると思われる．
・鶴岡公幸，2021「インドにおける日系外食チェーンの現状と課題」（http://id.nii.ac.jp/1092/00001750/）
・長島 直樹，2017「新興国消費者の地域間差異― インドと日本の外食チェーンに関する分析を中心として」（http://id.nii.ac.jp/1060/00008576/）
・一色映里奈，2019「インドの外食事情と進む日系企業の外食産業進出」（https://shiva-station.in/business/list/detail/id=403）

らしていたデリーに上京した。専門学校の同級生四五名（うち女子は五名のみ）は、その多くがアルンと同じように地方出身者であり、寮で生活しながら三年間フードサービスとホテルマネジメントを学んだ。授業は英語で行われる。ヒンディー語とボジプリー方言で育ったアルンやその他の地方出身者にとって、少なくとも入学当初は、慣れない都市部で馴染みのない授業内容を理解することが、どれほど困難なことであったか想像される。

現在、外食産業や観光産業はインド経済発展の重要な鍵となっており、そのための人材育成もインド全土で盛んに行われている。アルンの故郷ビハールにおいても、今ではホテルマネジメントの専門学校が複数存在し、オンラインコースの提供も豊富にある（図4）。しかし九〇年代終わりの地方都市において、ホスピタリティマネジメントは未知の分野であった。進路決定の際、アルンの両親はどのような反応だったのか尋ねたが、誰もその分野がどのようなものなのかわからず、したがってさしたる反対もなかったらしい。シェフを希望して入学したアルンであったが、入学後に初めてシェフ以外にも複数のキャリアの可能性があることを知る。シェフとして成功するには時間がかかると考えたアルンはホテルのベルボーイからそのキャリアをスタートさせ、次第にレストランのサービス・マネジメント部門へと転身していった。

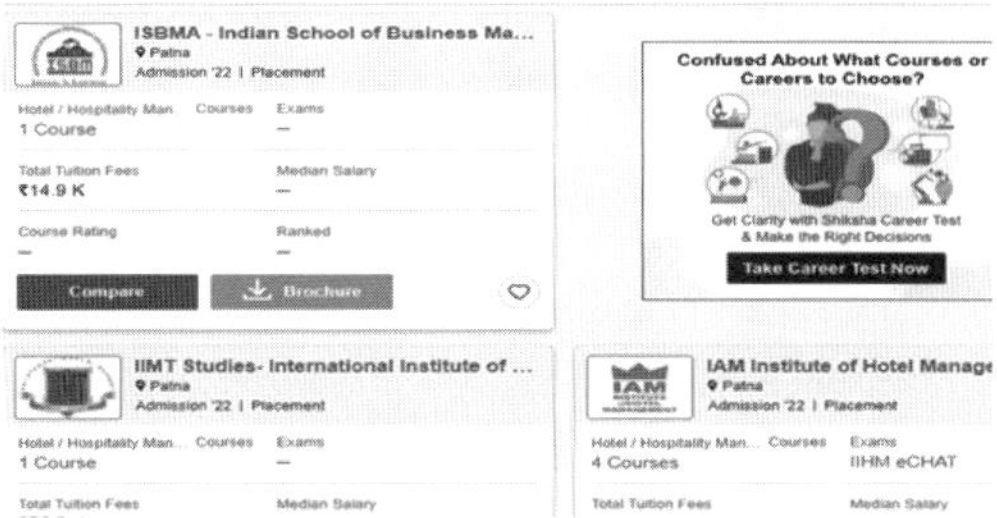

図3　ホテルマネジメントの1例（https://www.shiksha.com/hospitality-travel/hotel-hospitality-management/colleges/colleges-bihar）

外食産業の発展

二〇一〇年代半ばから、インドの外食市場は毎年平均約一〇%の成長率を誇る。この成長は主に都市部を中心とした消費者のライフスタイルの変化——核家族化や女性の社会進出など——によるものだと分析されている。[4] 筆者の毎年の訪印経験からも、一〇年代半ばから、従来あったイタリアンや中華に加えてタイ、ベトナム、メディテラニアンなど、レストランの選択肢が急増した印象がある。

「中の人」アルンの二〇〇〇年代初頭からの勤務先を順に追うと、イタリアン、メディテラニアン、中華、メキシカン、パンケーキ、パン・アジアン（中華・タイ・インド・寿司）、チベット・ネパール、となり、それはそのままその時々の人気系統を表している。またレストランの所在地も、〇〇年代は南デリーのファームハウスエリア[5]や広大な公園の中（図4）、人気マーケット（図5）や高級モール（図6）の一角であったが、二〇一〇年代半ばからはデリーの隣州、ハリヤナ州グルガオンに位置するCyber Hub（サイバーハブ、図7）へと移っていった。これもまた注目エリアの移り変わりと一致している。その後アルンはデリーを離れ、ジャイプル、コルカタ、プネーといった外食産業が大きく発展しようとしていた地方都市でのレストランやバーの立ち上げに関わるようになった。

4　JETROが発表しているデータ（2021年6月）によると，インドの外食市場の2015年度から18年度の平均成長率は11%，18年度から22年度までの予想成長率は9%である．この数字を同時期の韓国（3.6%），中国（4.4%）の数字と比較しても，インドの外食産業が発展著しいことが明らかである．インド商工会議所（FICCI）の2018年レポートにおいても過去5年間一貫した成長が報告されている．

5　ここでいうファームハウスとはデリーやグルガオン近郊に位置する，広大な敷地を有する大邸宅を指す．富裕層がファームランドの真ん中に家を建て実際に住居としているだけでなく，会社の保養所として宿泊施設を備える場合もある．広大な庭はお抱えの庭師によって整えられ，パーティー会場として貸し出されることも．

外食産業発展の陰で

筆者が学んできたインド社会では、カーストや宗教をめぐる人々の排他的な意識がときおり露わになり、問題を生む。勢いよく発展を続け華やかにも見える外食産業であるが、その内部に問題はないのだろうか。

人事、採用にも長年携わっているアルンに、採用の際に出自のスクリーニングを行うのか、スタッフ間に宗教やカーストに基づく差別問題はないのか、宗教別の雇用数は決まっているのか、といった率直な疑問をぶつけてみた。しかしどの質問に対してもアルンの答えは「そんなものないよ」、質問の意味がわからないといった風ですらある。「じゃあトイレの掃除は誰がするの。その人たちと一緒にお茶を飲んだりする？」業を煮やして少々意地悪な質問をしてみたが、やはりあっさりかわされた。「トイレの掃除はハウスキーピング部門。僕の親友の一人はそこの担当者だ。ちなみに彼と僕とコミュニティは同じ、もちろん食事も一緒にするよ。」

食を扱う、つまり「ケガレ」と直結するレストラン業界の内部には、何かしら出自をめぐる軋轢があるにちがいない、というのは筆者の思い込みでしかないのか。研究者の性でさらにしつこく質問を続けると、そこには暗黙の規則があることはわかった。面接の場面においてもそのほかの場面においても、カーストをめぐる質問、話題はタ

図6　南デリーの高級モール（DLF Emporio, 2008年）．国内で最もテナント料の高いモールの一つ

図5　高級マーケット内．人気のレストラン

図4　郊外の一軒家が改築された高級イタリアンレストラン．広い敷地には緑豊かな中庭がある

ブーであり、それは人事部が作成するルールブックに記載されているのだそうだ。[6]

筆者がしつこく聞きだそうとしたスタッフ間の差別意識よりも、アルンが問題視するのは業界全体でみられる保障制度の欠如だ。上述のとおり、アルンは頻繁に転職を行うが、それはキャリアアップのためだけではない。給料の遅延や未払い、加えて一方的な解雇から自身の生活を守るためでもある。これまで筆者が聞いただけでも三つの勤務先から、それぞれ給料数か月分が支払われておらず、交渉は数年たっても進んでいない。またCOVID-19は業界全体にとって大きな打撃となったが、営業停止期間に給料が一部であれ支払われたのは大グループ傘下のみであり、多くのレストラン従業員は生活苦に陥り、離職や帰省を余儀なくされたという。アルン自身、一年ちかく給料が支払われず、オーナーに対する大きな不信感と共に勤務先を辞することになった。

「中の人」の待遇という点から見れば、保障などないも同然の外食産業はかなり不安定である。それでも発展の可能性はまだまだ大きい。ZomatoやSwiggyといったグルメサイトの出現によりフードテック産業が大きく成長し、それがレストラン業界全体の成長にもつながっている（図8）。アルン自身もそれを自覚しており、長時間の勤務体制やオーナーの思惑に振りまわされる雇用状況などといった不

6　さらに意地悪く考えてみるなら，レストラン内部に出自をめぐる問題がないわけではなく，アルン（上位カースト出身の雇用側の男性）に問題が見えないだけなのではないか．例えば第4章で描かれる清掃コミュニティで同じ質問をしたならば「そんなものないよ」という答えが返ってくるだろうか．

図7　cyber hub全体像．Cyber hubとは外資系企業がオフィスを構えるオフィス街，Cyber City（サイバーシティ）に隣接する飲食街のこと

安定な業界の体質を嘆きながらも、異業種への転職は考えられないようだ。

「中の人」も健康志向——外食産業の今後

アルンは現在、インド各地に支店をオープンさせるため、プネー、ムンバイー、コルカタと忙しく都市間を飛びまわり、各地でスタッフ教育からメニュー決定までのすべてのオペレーションを一任されている。ほぼ休みなく一日一二時間から一四時間働くアルンはワーカホリックを自認し、それを楽しんでもいる。そんな彼の悩みは、ここ数年急激に増加し始めた体重である。確かに最近のアルンは貫禄たっぷりで、出会った頃のひょろっとした青年とはまるで別人である。不規則な食事時間に加え、シェフがつくる美味しい賄いやメニュー決定の際に繰り返される試食がその原因であろう。一念発起したアルンは厳格な食事制限を始めた。規定の食事時間を守り、油や砂糖、炭水化物に乳製品を制限しながら、着実に体重を落としつつあるらしい。経験を積んで知識を増やし、そして負うべき責任が重くなった今、外食産業の「中の人」もまた、美食よりも「健康が一番」になった。

もっとも目端の利く彼のこと、その経験がヘルシー志向の顧客確保に活かされることは間違いないだろう。実際、中・高所得者層は健康志向が高く、彼らの中で油や砂糖をあまり使わないヘルシーなイメー

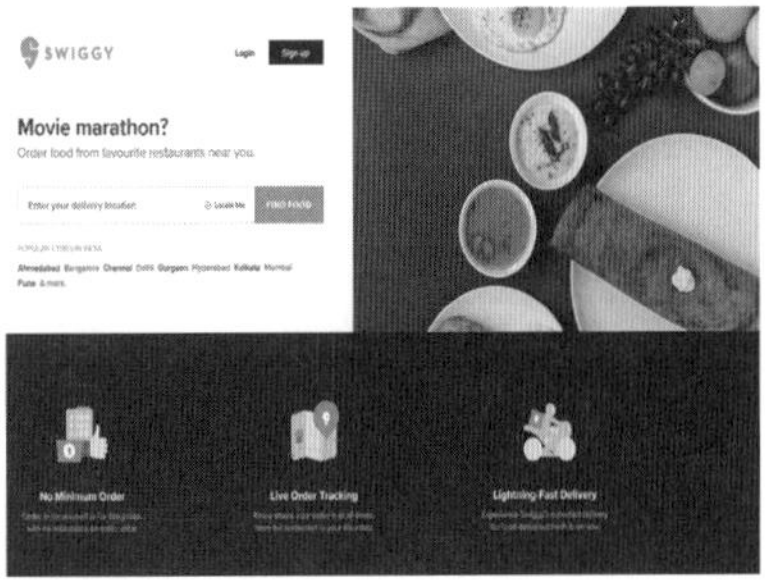

図8　二大人気グルメサイト．左：Zomato（https://www.zomato.com），右：Swiggy（https://www.swiggy.com）

ジの日本食が人気を集め始めている。都市部ではインド人オーナーの日本食レストランが増加傾向にあり、またデリー近郊にオープンした寿司のデリバリー専門店はオンラインで高く評価されている（図9）。同社グループが始めたサラダのデリバリー専門店も含め、徐々にインド人顧客が定着してきているという。次に尋ねた時、アルンはどこで働いているだろう。「今ブームはおしゃれなダイエットメニューだ」そう自信たっぷりに新しい店のコンセプトを語る彼の顔が目に浮かぶようだ。

［小松久恵］

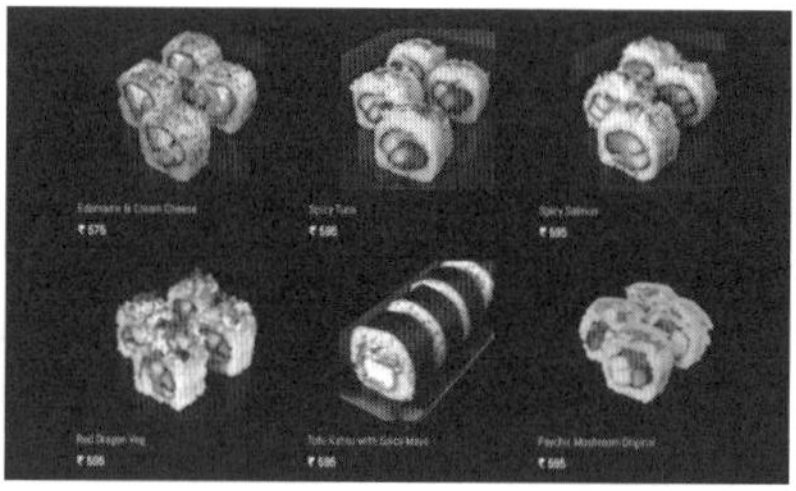

図9　スシジャンクションHPより（https://sushijunction.com）

図10　パン・アジアレストランのsushiメニュー

12 安心安全な食の流通

コロナ禍でみえた二つの安心安全

インドのニューデリーに暮らしている私は、インドでは二〇二〇年から始まったコロナ禍とそれに伴う混乱をデリーの地で経験した。特に第二波（二〇二一年）の被害は甚大で、公式発表では二名の日本人がコロナで亡くなり、[1]外出を控えるための食料品などの備蓄に奔走したり、大使館から勧告が出たことから日本への避難ラッシュが起きたりした。医療が追いつかない時期には、地域のインド人が運営するワッツアップグループには、助けを求める投稿が溢れて悲痛を極め、一方では篤志家による民間救急車や酸素ボンベの大量寄贈なども行われた。

コロナ禍における安心安全な食の流通という場合、二つの意味があったと思う。一つは飢えることなく食料品などを手に入れることであり、もう一つは「農薬まみれ」ではない有機農産物が消費者のもとに届くことを指す（表1）。

二〇二〇年三月二五日から始まった最初のロックダウン時は、コロナへの恐怖から誰も家から出ず、かといって食べるものは必要であ

1　2022年4月8日現在，インド全体のコロナ死者数は52万余である．

表1　国別農薬使用量（2020年）

	国名	農業使用量（トン）	1 ha あたりの使用量
1	中国	1,763,000	13.1
2	アメリカ	407,779	2.5
3	ブラジル	377,176	6.0
4	アルゼンチン	196,009	4.9
5	カナダ	90,839	2.4
6	ウクライナ	78,201	2.3
7	フランス	70,589	3.6
8	マレーシア	67,288	8.1
9	オーストリア	63,416	2.0
10	スペイン	60,896	3.6
11	イタリア	56,671	6.1
12	トルコ	54,098	2.3
13	インド	52,750	0.3
14	日本	52,279	11.8

インド在住者の多くは，インドの野菜や果物への農薬使用に大きな不安を抱いている．しかし，1 ha あたりの農薬使用量は，日本の方がずっと多い．

り、e-コマースも発展途上であった中、いかに食料を調達したらいいのか誰しもが不安に駆られ、日本人社会にもコロナ禍のもとで生活することへの危機感と不安、焦燥が一気に高まった。

デリーでの有機野菜販売の始まり

私は二〇一三年からインドのニューデリーで、主に日本人在住者向けにオーガニック野菜や果物、納豆、味噌、生蜂蜜、健康食品などを扱うごく小さなビジネスを手がけている。

デリーやグルガーオン（共に日本人が多く暮らしている）の空気・水・野菜などの食品への不安や不信感は在住者のほとんどが抱えており、ローカルマーケットの野菜はどれも安心して口に入れられるものかどうか迷うものばかりで、当時はまだ有機野菜を取り扱う店はほとんどなかった。私にも当時小学生だった子どもがおり、母親同士が集まると、必ず食べ物や水、空気への懸念が話題に上ったものだった。

そんな時、北インドのヒマーチャル州に農業指導に入っている方と偶然に知り合う機会があり、トマト・プロジェクトというブランド名で有機野菜の仕入れと販売の仕事を始めることになった。

インドにおける有機農業と消費の伸長

インドでは二〇〇五年に有機農業政策が導入された。二〇二〇年三

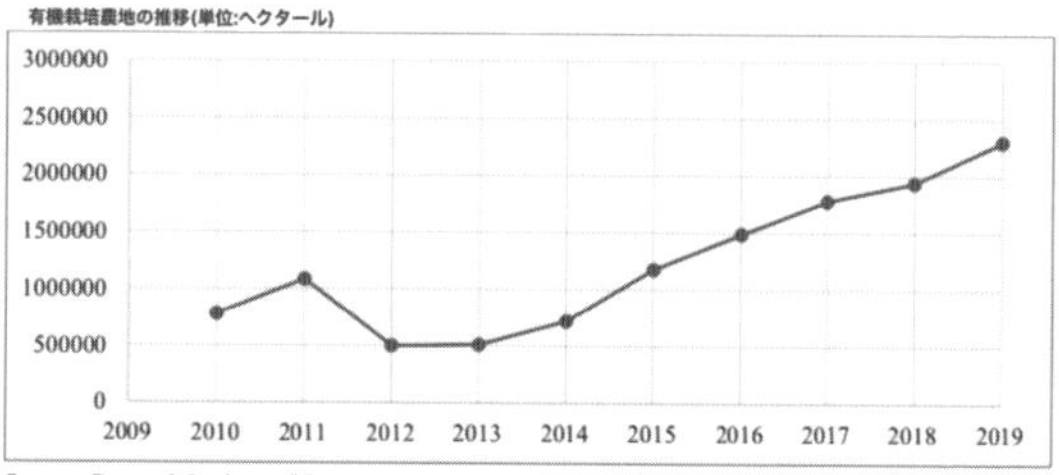

Source: Research Institute of Organic Agriculture, 2021.

図１　有機栽培の家の推移（単位：ha）

図２　オーガニック・マーケットの様子［デリーにて撮影 @ Kyoka_Tsuchiya］

月の時点で、インドの有機栽培農地は二七八万haあり、これは全耕作地の二％と非常に限られた数字だ。州による隔たりも大きい[2]が、有機栽培農地の推移は順調に増加している（図1）。

インドにはNPOP（国家有機生産計画）という有機認証機関があり、全有機農地の約七〇％がこのNPOPのもとにある。有機生産物の九六％はNPOPの認証作物であり、残りの四％はPGSという機関の認証である。

PGS（Participatory Guarantee System for India）は、NPOPのような海外にも輸出できる有機認証と違って、国内流通のみを念頭に置き、一軒では有機認証を受けたり継続する経済力をもたない農家を支援する目的で、五名以上のグループをつくった農家に有機認証を行っているが、私が見聞きしている範囲に限っていえば、あまりうまく機能しているとはいえない[3]。

一方、インドでの有機野菜の市場は右肩上がりである。コロナを境に下火になったものの（二〇二二年四月現在、コロナがほぼ終わったという認識で再度盛り返している）、それまでは週末ごとにデリーやグルガーオンのあちこちでウイークエンド・マーケットが開かれ（図2）、近郊のオーガニック農家は畑に客をよび込み、収穫を体験してもらったり、そこで採れた野菜を使った料理が野外で振る舞われたりするなど、体験型のイベントも目白押しで、大人気であった。デリー

2　州別にみると，マディヤ・プラデーシュ州がトップの76万haで全有機農地の27%，ついでラージャスターン州，マハーラーシュトラ州と続くが，それぞれの州の全耕作地のそれぞれ4.9%，2.0%，1.6%に過ぎず，有機農地はまだまだごく一部に過ぎないことがわかる．また，上位10州で全有機農地の80%をカバーしていることから，インドにおける有機農地の分布には大きな偏りがあるといえる．

3　農家は一種の自営業者で独立性が高く，グループを作って活動していくのが一般的に苦手である．実際，私が関わっている農家さんたちも，このPGS認証を得るべく数年来，背中を押しているものの，それなしで生計を立てていけていることと，グループで行動したがらない気質が相まって，認証獲得は思うように進んでいない．

やグルガーオンの週末マーケットの中には、生産者である農家しか出店できないところもあって、生産者と消費者が直接出会う場を提供。こうした新しい動きは急速に拡がり、有機市場の活発化を促し、インド政府も Farm to Home のスローガンのもと、こうした動きを後押ししている。

消費者が置き去りにされた農業

インドのサラダ用トマトは皮が厚くて硬い（図3・図4）。そして、水分がかなり少ないのが特徴である。これはインドのトマトがトラックに山積みされ、全体の三〇%から四〇%が潰れてしまうことが理由だ。そのため、わざわざ皮を分厚くするよう品種改良されたのが今のサラダ用トマトなのである。

トマトは、インド野菜の一つの象徴といっていい。味や品質に関係なくkgいくらの世界であり、野菜の国家買取制度もあって、農家は品質にこだわらずにきた。私が運営する「トマト・プロジェクト」は、こうした状況を象徴する野菜であるトマトから名付けた。品質が置き去りにされた農業のあり方が変わらねば農家は貧しいままであり、たとえインドの中のけし粒ほどに小さい活動でも、変化を起こしたいという願いがあった。

しかし、私の活動とは特に関係なく、時代は変わりつつある。例え

図3　皮が厚いサラダ用の有機トマト 1 kg 210 ルピー（デリーにて．2022 年 4 月現在）

図4　皮が薄くてジューシーな日本トマト 1 kg 300 ルピー（デリーにて．2022 年 4 月現在）

ばヒマーチャル州などでは五〜六年ほど前から農業州としてヒマーチャル産野菜をブランド化することに取り組み、今ではヒマーチャル野菜イコールおいしい野菜の代名詞になっている。エキゾチック野菜[4]やシイタケなどのきのこ栽培にも熱心である。また、ウッタラーカンド州でも特産の雑穀を前面に出してアピールしたり、オランダからりんごの苗木を大量に輸入したり、まだインドでは栽培が一般化されていないえのきやしめじなどの栽培に取り組むなど、ヒマーチャルに次ぐ農業州としてのブランド化に熱心に取り組んでいる（図5）。このようにこの何年かは変化のスピードが非常に早くなってきた。

インドの小農

二〇一五年度の調査によると、耕地面積が二ha未満の小農は約一億二六〇〇万人で、全農民に占める割合は八六・二%にも上るが、彼らが所有する農地は全作付面積の四七・三%に過ぎない。二〇一〇年度の調査に比べて小農は一・六%増加したにもかかわらず、耕作地は二四六万ha減少し、農地の細分化がより進んでいるのがわかる。

実際、ウッタラーカンド州の山の農家も自己が所有する畑地だけでは足りず、農業をしていない兄弟や親戚、近隣から土地を借りて耕作しているケースが少なからずあり、現在の担い手から次世代に引き継がれる時には、採算の取れる農業の継続が難しくなるのではと農家自

4　カリフラワー，ズッキーニ，セロリ，アスパラ，パプリカ，アンティチョークなどの西洋野菜を指す.

図 5　ウッタラーカンド州で開かれたきのこフェスティバル

身が憂えている。

小農問題は農業技術の革新で生産性を高め、付加価値の高い作物を積極的に取り入れるほか、消費者と直接つながったり、大都市に出荷して高価格を獲得することが解決方法の一つであると考えられている。その一例が先述したエキゾチック野菜やきのこ栽培であり、消費者と直接つながる手段のない零細農家の作物販売先としてのマンディーとよばれる青果市場の拡充である。[5]

運搬の課題

消費者と直接つながり、比較的高収益をあげている小農にも課題は多い。その一つが作物の運搬である。標高三〇〇〇mを超える超高地で栽培されているレタスのような場合は、その質の高さが評判をよび、デリーなどから買い取りのトラックが押し寄せるが、さまざまな種類の野菜を限りある量で栽培している小農の場合は、自ら運搬手段を見出さねばならない。

その一つがバスを利用する方法である。バスに備えられている荷物入れに野菜を積み込んでデリーなどの大消費地まで送り、買い取り手がそこからピックアップする方法がよくみられる手段である（図6）。

しかし、コロナ禍によって人流を制限するため、感染者が多かった時期には州をまたぐ交通が著しく制限されたことで、バスの運行は完

5　マンディーとは卸売商店の集合体で，多くの農家がここに農産品をもち込み，仲買人が大都市などのマンディーに品物を卸している．しかし，このマンディーは農家にとって必ずしも有益に働いているとはいえない部分がある．不良品の混入率がほぼゼロでも，仲買人は「ロスがあった」として一律に20％を代金から差し引くなどする一方，マンディー以外に売り先がない農家はこの不利な条件を飲まざるを得ない．このため，直販先をもつ農家はマンディーには野菜をもち込まない．

全に停止され、農家は出荷ができなくなった。マンディーを通した野菜はトラックに載せられ、コロナ初期を除いて州をまたぐ困難は徐々に少なくなっていったが、バスを利用した運搬をするよりほか方法がない農家は、二年にわたってかなりの痛手を受けた。

気候変動と農業

気候変動の危機が叫ばれて久しいが、私が特に深くつながっているウッタラーカンド州の山（標高約一二〇〇m）でも気候変動は大きな問題になっている。一世代前までは冬ともなると根雪が当たり前で、その深さは太ももにまで達するのが常だったという。そのため当時建てられた家屋は高床であった。しかし、この一〇年来、雪の量はどんどん減り、二〇二二年に至っては二月になるまで一度も積雪が記録されていない。この降雪量の減少で周囲の山々の保水力が落ち、春から雨期が始まるまでに村を流れる川の水位が異常に下がって畑に水が引けない事態が起き始めているほか、逆に雨期にはこれまでにないほどの降水量となり、雨期が長引くことも常態となって、作物への被害が増大している。冬の降雪（降雨）の極端な減少と雨期の長期化と多雨という二重苦が起きているのである。

図6　ウッタラーカンドの山の野菜がデリーまでたどり着くには，まず写真のような車に野菜を載せて片道2時間のやや大きな村まで運び，そこからミニバスに載せ替え、途中で乗客を下ろしたり乗せたりしながら14時間ほどかかってやってくる

安心安全な食の流通

これまでみてきたように、インド（といっても、私が見聞きし体験してきたごくわずかな範囲であるが）の農業の現状にはさまざまな問題点がある。これらを乗り越えて、初めて安心で安全な食の流通が保証される。これらの諸問題は単独の農家では立ち向かえず、農業の継続性に農家自身が危惧している現状を打破しない限り、インド農業の未来は行き詰まる。それは消費者が脅かされることにも直結し、誰も喜ばない未来しか待っていない。

［山﨑のり子］

図７　路上の八百屋（バナーラスにて，@ Kyoka_Tsuchiya）

13 インドの動画配信サービス

デジタル・エンターテインメント[1]（表1）ほど、コロナ禍のインドで躍進した産業はない。BCG-CIIの報告[2]によると、動画配信サービスは二年連続で右肩上がりの成長を遂げ、二〇二一年末には一八～二二億ドルの産業規模となった。二〇三〇年には年平均成長率二二～二五％で推移、一三〇～一五〇億ドルに達すると予想され、インドのエンターテインメントの中で最も成長する分野になると見込まれている。二〇一四～一五年に、わずか五〇〇万人程度だったインドの有料会員数は、二〇一八年になると一四〇〇万人、二〇二一年末には七～八〇〇〇万人にまで増加した。これは、パンデミックのロックダウンにより幾度も劇場が閉鎖した結果、新作映画を見る唯一の手がかりが動画配信サービスとなったことに起因する。二〇二〇年六月、Amazon Prime Videoでは、名優アミターブ・バッチャン主演のヒンディー語映画「Gulabo Sitabo」が一般公開を待たずに配信され、これを皮切りに、いくつかの劇場用新作映画がインターネットで公開された。二〇二一年現在、インドにおける動画配信サービスの数は二〇一五年の四倍に膨らみ、グローバル企業に加え、ローカルの配信

1　デジタル・エンターテインメントとは，オンラインゲーム，動画配信をさす．従来の通信インフラを飛び越えインターネット回線でコンテンツを配信するストリーミングサービスをOTT（オーバー・ザ・トップ）とよぶ．分類は大まかに以下のとおり．

表1　VODの種類

OTT(オーバー・ザ・トップ)の種類		
SVOD	定額型	Subscription Video On Demand(サブスクリプション・ビデオ・オン・デマンド)の略．定額動画配信．Amazon Prime, Netflix等．
AVOD	広告型	Advertising Video On Demandの略．広告動画配信．YouTube等．
Freemium Model	フリーミアム型	AVODとSVODのコンビネーション．基本的なサービスや製品は無料で提供．さらに高度な機能や特別な機能については料金を課金．ErosNow, Disney+ Hotstar, SonyLiv等．

サービスが活況を呈している。

モバイル端末と配信

配信の活況は、モバイル端末の普及と深い関係にある。廉価なモバイル端末の普及は、一部の人しか接することのなかった資源へのアクセスを容易にした[3]。家庭におけるテレビの数は、世帯延べ数一台未満で、個人の動画視聴はスマートフォンであることが多い。

二〇一四年八月二〇日、モーディー内閣は知的経済改革を標榜する「デジタル・インディア計画」[4]を発表し、国家ブロードバンド計画「Bharat Net」を推し進めた。二〇一九年度予算では、全村落共同体への普及を目指し、5G導入のための迅速な環境整備を行った。エリクソン・モビリティ・リポート[5]によると、インド地域の5G利用者は、二〇二七年末に全体の約三九％、約五億件の契約数になるとの見通しで、スマートフォン契約数は年平均成長率七％で推移、二〇二一年末に八億一〇〇〇万件、二〇二七年には一二億件を超すと予測される。二〇二一年のスマートフォン契約数はモバイル端末契約数の七〇％を占め、二〇二七年には約九四％になるとの予測だ。廉価なモバイル端末の登場に加え、コロナ禍のリモートワークも二〇二〇〜二一年の平均通信使用料を押し上げた。インド地域のスマートフォン一台あたりの平均通信量は世界第二位で、二〇二七年には1か月あた

2 BCG-CII, 2021, *Blockbuster Script for the New Decade Way Forward for Indian Media and Entertainment Industry*, Boston Consulting Group, Confederation of Indian Industry.（https://web-assets.bcg.com/7b/a8/1eff85904e408c18fb8284a299f9/blockbuster-script-for-the-new-decade.pdf）

3 Ernst & Young Associates LLP, 2021, *Playing by New Rules*, Ernst & Young Associates LLP.（ey-india-media-and-entertainment-sector-reboots.pdf）

* Doron, A. and Jeffery, R., 2013, *The Great Indian Phone Book: How the Cheap Cell Phone Changes Business, Politics, and Daily Life*, Harvard University Press.

り約五〇GBまでの増加が見込まれる。国民全員がスマートフォンをもつ時代は、そこまで来ているのだ。

二〇一六年、リライアンス・ジオ・インフォコム（Jio）の移動電話市場参入で競争は激化した。廉価な4G価格帯のプランは、通信量の多いスマートフォンユーザーを大量に生み出した。Jioは動画視聴サービスJioCinemaを加入者向けに提供し、評判をよんだ。このサービスは加入者だけが利用できるもので、動画視聴にかかる料金はない。こうした国内の動向を受け、動画配信サービス他社は、インド向けにカスタマイズした比較的廉価なモバイルパッケージ料金を用意した。

グローバルに配信を展開するNetflixは、二〇二一年現在二億人の有料会員数を抱えるが、数年前、国際市場で飽和状態を迎えつつあり、世界人口二位のインドは魅力的な市場として存在感を増していた。まずは都市部以外への顧客拡大を期待し、同社は月額一九九ルピーというモバイル端末専用プランで会員数を増やすことに成功する。二〇二〇年一二月には、Streamfestという名の二日間のイベントで、全コンテンツを標準画質で無料公開し、さらなる顧客を獲得した。[6] インド向けに代引きシステムを導入したAmazon Prime Videoは、価格帯にグラデーションをもたせることで新たな会員の取り込みを狙い、広告付きの月額超低価格プラン（月額四九ルピー）を用意し

図2　単一言語動画配信

4　*About Digital India*（https://www.digitalindia.gov.in）

5　Ericson, 2021, *Ericsson Mobility Report*, Ericson.（https://www.ericsson.com/4ad7e9/assets/local/reports-papers/mobility-report/documents/2021/ericsson-mobility-report-november-2021.pdf）

6　“*Netflix's 'StreamFest' results in 8 lakh app downloads in India*”, Livemint, Dec. 8, 2020.（https://www.livemint.com/industry/media/netflix-s-streamfest-results-in-8-lakh-app-downloads-in-india-11607440340505.html）

ている。SonyLivや国内最大シェアのDisney+Hotstarは、スポーツコンテンツとオリジナルコンテンツを抱き合わせるプランで会員を獲得するなど、各社のインド向けカスタマイズは継続的に更新されている状況だ。

地域言語と南インド映画の台頭——コンテンツへの投資

単一言語の動画配信サービスの需要と成長も注目だ。BCG-CIIの報告では、インドには四〇以上の動画配信サービスが存在する。二〇二〇年のSVOD（表1）は、前年比五五～六〇%の成長を記録した。単一言語の地域限定コンテンツの伸びを押し上げたのが、大都市以外のTier 2、3、4（表2）に居住する視聴者層で、新規加入者は大都市圏Tier 1の一・五倍であったという。インドのSVODは、年額一九九ルピーから一四九九ルピーまで、価格帯は幅広く、地域に特化した配信会社も市場を拡大しつつある（図2）。ベンガル語のHoichoi、テルグ語のAha、マラーティー語のPlanet Marathi、グジャラーティ語のCityshor.TV、マラヤーラム語のNeestreamなどは、単一言語に特化したコンテンツを配信している。こうした動きは、世界中に移民した同胞に向けての展開戦略とみてもいいだろう。

二〇二一年の初めに大きな話題をさらったのが、マラヤーラム語の映画「グレート・インディアン・キッチン（図3）」だ。一つ屋根の

表2　インドの都市区分

Tier 1	都市人口が400万人を超え、総所得が1,000億ルピー以上の都市 デリー、ムンバイ、バンガロール、チェンナイ、コルカタ、ハイダラーバード、アーメダーバード、プネーの8都市
Tier 2	都市人口が100万人以上400万人未満の都市（Tier1以外の州都を含む） 代表的な都市は、パトナー、ラクナウー、ジャイプル、アーグラー等
Tier 3	都市人口が50万人以上100万人未満の都市
Tier 4	都市人口が50万人未満の都市

図3　「グレート・インディアン・キッチン」ポスター写真（配給元：SPACEBOX, ©Mankind Cinemas, ©Symmetry Cinemas, ©Cinema Cooks）

下で住む人間同士のわかり合えなさや、旧来の家制度の中で役割を強いられる現代女性の生きづらさを色濃く描き出した同作は、配信されるなり評判をよび、言葉や地域の垣根を越えてインド各地に広がっていった。当初は単一言語の小規模動画配信サービスのNeestreamでのみ公開されたが、後にAmazon Prime Videoでも配信されることとなった。さらに、政治家の「わきまえる」発言で女性の不満が一気に爆発した日本でも劇場公開された。

配信大手各社では二〇二一年、南インド四言語[7]の映画に勢いがあった。同年一二月下旬、Netflixで配信されたマラヤーラム語のスーパーヒーロー映画「ライトニング・ムラリ」は、非英語映画ながらも同配信における一二月最終週の映画全体のトップ一〇にランクインした[8]。Amazon Prime Videoでも「Jai Bhim」をはじめ、タミル語映画数作を同年の大ヒット作に挙げている[9]。コロナ禍で公開が遅れたが、日本でも劇場公開が決まったS.S.ラージャマウリの最新作「RRR」（図4）は、韓国語などの翻訳版も配信されるようだ。同配信では南インドを舞台にしたヒンディー語映画も制作され、南インドの人気は継続中だ。

動画配信に規制はあるのか？

ここで二〇二一年のある出来事をもとに、動画配信の規制について

7　南インド四言語とは，カンナダ語，タミル語，テルグ語，マラヤーラム語の四つ．

8　「12月20日の週のTOP10:「ドント・ルック・アップ」が大ヒットを飛ばし，「消えない罪」は歴代の人気TOP10にランクイン」．(https://about.netflix.com/ja/news/top-10-week-of-dec-20-dont-look-up-hits-home-and-the-unforgivable-moves-to)

9　“Tamil film ‘Mahaan’ to stream on Amazon Prime Video on 10 February”, Livemint, Feb. 2, 2022, (https://www.livemint.com/industry/media/tamil-film-mahaan-to-stream-on-amazon-prime-video-on-10-february-11643777632908.html)

図4　「RRR」（配給元：TWIN，©2021 DVV ENTERTAINMANTS LLP. ALL RIGHTS RESERVED）

触れておきたい。同年初頭、とある配信会社Aで、ドラマシリーズTが公開された。同作の内容は政治を風刺し、現実に起きた農民デモや政治運動を想起させるもので、視聴者の中には敏感にそれを感じ取る人もいた。配信開始の二日後、出演者を含む本作関係者に対し、現政権与党に関連する人物からＦＩＲ（犯罪被害証明書：First Information Report）が発行される。制作者側は、ドラマは創作物であり、意図的に宗教感情を傷つけたり、カーストの反発を煽ったり、女性を侮辱したり、社会を揶揄する意図するものではないと即座に表明したが、配信の三日後には「無条件の謝罪」を行い、問題とされたシーンは削除された。同社トップが警察に拘束されるという緊迫した事態も発生し、裁判所が保釈を認めるまで長い時間を要した。今後の配信事業展開を鑑みてのことであろうが、同社による対応は速やかなものだった。

インドの映画は、ＣＢＦＣ（中央映画認証委員会：Central Board of Film Certification）が検定を行い、公共の場での上映に適したものか諮っている。[10]一方、「公共の場の上映」ではない配信映画については、現在に至るまで規制する法律はない。ところが、二〇二〇年一一月、中央政府は動画配信を情報放送省の管轄下に置く決定[11]をした。さらに翌年二月五日、ソーシャルメディア企業やその他の中間業者のためのガイドライン[12]を発表し、年齢ベースの五つのカテゴリー

10 CINEMATOGRAPH ACT（インド映写法）1918.（https://www.constitutionaltribunal.gov.mm/lawdatabase/my/download/file/fid/1491）

11 “Online news platforms, streaming services such as Netflix now under I&B ministry's regulation”, Scroll, Nov.11, 2020.（https://scroll.in/latest/978235/online-news-platforms-streaming-services-such-as-netflix-now-under-i-b-ministrys-regulation）.

12 “Information Technology（Intermediary Guidelines and Digital Media Ethics Code）Rules 2021”, Press Information Bureau.（https://pib.gov.in/PressReleseDetailm.aspx?PRID=1700749）

（U、U／A7＋、U／A13＋、U／A16＋、A）に自主分類[13]することを求めた。弱者を守る措置である一方、先に挙げたような出来事と無関係とは言い切れない。

現在、各作品には冒頭部に長い免責事項が記され、内容に一定の配慮がなされているようだ。政府は省庁による配信の管理を「規制」ではなく「促進」であると述べており[14]、ガイドラインは法的拘束力をもつものではない。しかし政治や警察の実質的介入は、事実上の規制のようにも見える。

おわりに

一時的とはいえ劇場の休館を余儀なくされた映画産業は、配信を活用しなければ立ち行かないという危うい経験をした。パンデミックを経た世界で配信映画は存在感を増し、劇場映画との線引きは曖昧になりつつある。インドでは二〇二〇年、映画賞のフィルムフェアが動画配信作品を評価するOTT賞を開設するという動きもあった。

二〇二二年一月末、グーグルがインド通信大手Bharti Airtelに最大一〇億ドルを投資するという報道[15]があった。世界第二の人口を擁するインドに、熱い視線が投げかけられているのは間違いない。ビジネスの面で明るい兆しがみられる一方、二〇二一年四月四日、中央政府が、FCAT（映画検定審判所：Film Certification Appellate Tribunal）

13　U／A13＋以上のコンテンツにはペアレンタルロック，A（アダルト）コンテンツには信頼性の高い年齢確認メカニズムを実装しなくてはならない．各コンテンツまたはプログラムに固有の分類レーティングを，コンテンツの性質についてユーザーに通知するコンテンツ記述子とともに，各プログラムの冒頭に目立つように表示し，ユーザーがプログラム視聴前に十分な情報を得た上で判断できるようにしなければならない，など細部まで規定がある．

14　PIB India, "*Secretary, Ministry of I&B Amit Khare's address at CII Big Picture Summit 2020*", YouTube, Dec. 16, 2020.（https://youtu.be/vmhMCMzbkbg）

を廃止させる決定を下す動きがあり、国会で諮られたことは見逃せない。[16] 映画検閲機関の裁定に不服があれば、これまでならFCATに意義を申し立てることができたが、今後決定を覆すには、制作者が裁判を起こさなくてはならなくなった。こうした動きがクリエーションを扱う配信の世界を萎縮させないことを願いたい。

［藤井美佳］

15 「グーグル，インドの通信大手 Bharti Airtel に最大10億ドル投資へ」，Cinet Japan, 2022年1月31日.（https://japan.cnet.com/article/35182818/）

16 "Centre dissolves film Certification Appellate Tribural, filmmakers call more restrietive, arbitrary"（http://Scroll.in/latest/991660/centre-dissolves-film-certification-appellate-tribunal-filmmakers-call-move-restrictive-arbitrary）

コラム4

近代インドの罪と罰

Amazon Prime Videoが二〇一八年から放送しているヒンディー語ドラマ・シリーズ「ミルザープル」[1]は、北インドのウッタル・プラデーシュ州でのマフィアの抗争を描く物語だ。舞台となるミルザープルの街はマフィアに支配される無法地帯として描かれる。この作品については、現実のミルザープルに不当な悪印象を与えると眉をひそめる向きもあるが、何かしらのリアリティを視聴者がそこにみていることも確かだろう。しかし、恐ろしい「無法」地帯のイメージがリアリティをもつためには、法が支配する状態を想像できねばならない。無法とは法が存在しない状態だからである。

英領インドの「法の支配」とその実態

現代インド社会の法と無法についての想像力の歴史を、例えば植民地期にさかのぼって考えてみよう。英東インド会社は、一七六五年にベンガル、オリッサ、ビハール地域のディーワーニー[2]を獲得し植民地統治を開始した。東インド会社の統治領域の刑事司法はムガルの法を継承するとされたが、法を運用する中で徐々に英国法の影響が入り、

1　Amazon Prime Videoが放送する，カラン・アンシュマーン(Karan Anshuman)監督作品．第1期(2018年)と第2期(2020年）が人気を博し，2022年に第3期が放送されると目される．

2　ベンガル太守・アワド太守・ムガル皇帝の連合軍を前年のバクサルの戦いで破った東インド会社が，ムガル皇帝から獲得した地租徴収・民事裁判権．東インド会社による領土支配本格化の契機となった．

警察や拘禁施設（監獄）など「法の支配」を建前とする制度をつくるべきことが唱えられた。

しかし、英国式の「近代的」な刑法と刑罰が、実際に整然と導入されたかといえばそうでもない。刑法を厳密に適用するためには警察機構の整備や在地勢力の武装解除が必要となる。しかし、在地の有力者たちに、手下の者たちを解雇させ、監視者たる警官たちが政府から送られてくることを納得させるのは容易でなかった。また、常駐の警察人員や監獄を導入するために、相応の予算も確保しなければならなかった。結果的に、植民地政府は、きわめて小規模な警察と監獄の機構しか導入しなかった。特に地方では、私的に武装した地元有力者たちに警察の役割を担いつづけさせた。[3]

犯罪集団の統制

こうした貧弱な警察・刑罰の組織しかもたずに、犯罪をどう統制しようというのだろうか？ そこで発達したのは、違法行為を犯罪として取り締まるだけでなく、反乱や騒擾として集団的に鎮圧するやり方だった。犯罪者を監獄に閉じ込めると、司法手続き、食糧、健康管理、獄舎の保守、看守の人件費などの費用がかかる。それよりも、武力鎮圧することで「解決」とすることは、はるかに容易で安価だった。

3　植民地統治を通じて，英国の植民地政庁は警察による社会統制に「無関心」であった．Rajnarayan Chandavarkar, 1998, *Imperial Power and Popular Politics: Class, Resistance and the State in India, c. 1850–1950*, Cambridge University Press.

かくして、英領インドにおいては、多様な鎮圧対象の集団が「発見」されていくことになった。ピンダーリー、パーンスィーガール、タグ、ダコイト、「犯罪部族」とよばれた諸集団がそれである。[4] これらの集団は、世襲的に犯罪を生業とする人々とされ、「カースト」概念と関連づけて説明された。しかし実際には、その多くはもっぱら犯罪を生業とする職能集団ではなく、非定住民や農閑期の農民などであったと考えられる。[5] 多様な人々が犯罪的性向をもつ集団とみなされ、鎮圧の対象とされたのである。これは個人の刑事責任を問う近代的刑法とは別の論理によっており、軍事的な鎮圧と犯罪取り締まりの境界は不明瞭のままにされたのである。

政治的運動の犯罪化

この不明瞭さは、植民地政庁が植民地住民による抵抗を鎮圧する際に、それを犯罪として処理することを容易にした。一八五七年「大反乱」の際には、大規模な軍事的戦闘が北インド一帯で行われたが、植民地政庁がこれを「戦争」と位置づけることはなかった。反乱者たちは、東インド会社に対して正当な交戦権をもつ敵としては認知されなかったのである。もちろん、反乱に関わった者すべてを通常の犯罪者と同様に監獄に閉じ込めることはできなかったため、一般的な戦後処理と同様に多くの場面で軍事的な鎮圧をもって解決とした。しかし反

4　ピンダーリー（pindari）はマラーター連合との関係が深いとされた武装勢力．パーンスィーガール（phansigar）は旅人を絞殺し金品を奪うとされた集団．タグ（thug）は北インド一帯にはびこる盗賊集団とされ1830年代に大規模な掃討作戦が行われた（図1）．30年代末からはダコイト（dacoit）とよばれる盗賊集団の掃討作戦が展開される．19世紀後半には「犯罪部族（criminal tribes）」とよばれる諸集団が鎮圧の対象とされた（竹中千春，2010『盗賊のインド史—帝国・国家・無法』有志舎）．

5　犯罪的集団の概念とカースト概念の関係については，藤井毅，2003『歴史のなかのカースト—近代インドの〈自画像〉』岩波書店参照．

図1　タグが旅人を殺害する様子とされる図

乱はあくまでも犯罪に近いものと位置づけられ、反乱の指導者の多くは犯罪者として流刑地に送られることになった。こうした犯罪への対処のありかたは、独立運動期にふたたび顕著になる。刑事司法の外で実行される行政的・準軍事的な手段が、植民地国家による強制力として機能しつづけたのである。[6]

独立インドと犯罪

一九四七年にインドが独立しても、広大な領土にくまなく規律の行き届いた警官を配置することは困難でありつづけた。人々を武力で鎮圧するという犯罪への対処法は、新生のインド共和国に受け継がれることになった。プーラン・デーヴィー[7]やヴィーラッパン[8]などの「盗賊」、あるいはナクサライト[9]のような武装勢力が、鎮圧対象の犯罪者として位置づけられてきた。そして、植民地インドの人々が反英勢力に同情したように、「法の支配」の建前を日常生活の中で信じることのできない少なからぬ人々がそうした盗賊や反政府勢力に共感を抱きつづけたことも確かなのである。

「ミルザープル」のような近年のマフィアものの作品にみられる過激な表現は、欧米のマフィア映画の影響を明らかに受けている。しかしそれでも、ヒンディー語の視聴者たちがそこにインド社会のリアリティを感じることができるのは、植民地期より引き継がれてきた法と

6　反英独立運動に対しては，体罰，群衆への発砲・爆撃，大量解雇，学生の放校，裁判を伴わない拘禁，集団に対する罰金など，刑事司法の範囲に収まらない多様な制裁が実行された．Taylor Sherman, 2010, *State Violence and Punishment in India*, Routledge.

7　プーラン・デーヴィー（Phulan Devi, 1957頃-2001）は，ウッタル・プラデーシュ州の村で低カーストの両親に生まれた女性．幼児婚で嫁した夫の家で虐げられた上，ダコイトに誘拐され，虐待とたたかいながら盗賊団の首領となった．1983年に司法取引をして投降，96年には連邦下院選挙にミルザープルの選挙区から立候補し当選．2001年にデリーで暗殺された．彼女の生涯は，伝記や映画で知ら→

図2　反英運動に参加した少なからぬ人々が公開の場で体罰を受けた（Horniman, B. G. 1920, *Amritsar and Our Duty to India*, T. Fisher Unwin）

無法についての想像力の系譜があるからであろう。

［宮本隆史］

→れている（プーラン・デヴィ，1997『女盗賊プーラン』（上・下）武者圭子訳，草思社．竹中によるインタビューも参照．竹中前掲書，pp. 295-323）．

8　ヴィーラッパン（Virappan, 1952-2004）は，南インド諸州で活動した武装勢力の首領．政治家の誘拐，サンダルウッドの違法伐採，象の密猟，盗賊行為などを 36 年にわたって繰り返し，2004 年にタミルナードゥ州警察との戦闘で死亡．死後も彼を題材とする映画，ドラマ，書籍などが複数の言語で多く制作されている．

9　西ベンガル州ナクサルバーリーで，1967 年に農業労働者が土地占拠運動を展開，武装革命を唱える活動家が現れた．同時期にアーンドラ・プラデーシュ州でも農民による武装闘争が行われ，武装革命主義者の総称として「ナクサライト」とよばれるようになった．ナクサライトは武装闘争を展開しつつ農村部の貧しい農民に影響力を広げた．

鈴木真弥（すずき・まや）　大東文化大学准教授．専門は社会学，インド地域研究．夕暮れ時，圧力鍋がシューっと音を立てて部屋中に立ち込めるダール（豆）やお米のにおい．一日が終わり，インフォーマント家族と囲む夕食のひとときで，心も体も満たされる．［4 章］

冨澤かな（とみざわ・かな）　静岡県立大学准教授．専門は宗教学．コルカタのラーマクリシュナ・ミッションの研究者寮の庭のジャスミンの香りと，一歩出た外の街の雑多なにおい．セットで「ああインドだ…」と感じる．［6 章］

長井優希乃（ながい・ゆきの）　ラジオナビゲーター，メヘンディー描き．京都大学大学院人間・環境学研究科修士課程修了．デリーの路上の排気ガスとヘナ・オイル，スパイスと人間の汗の混ざった香りが，今は恋しい．［コラム 2］

藤井美佳（ふじい・みか）　字幕翻訳者．TUFS Cinema 南アジア映画特集企画．幼少期から和紙と墨が身近にあったせいか，インクや紙のにおいには敏感な方だ．送られてきた手紙や書籍を開くと，ほかのどこにもない香りがしてインドを感じることとなる．［13 章］

Prashant PARDESHI（プラシャント・パルデシ）　国立国語研究所教授．専門は言語学 . 好きなにおいはインドの雨季の朝，地面一面に散らばるパリジャータクの花の繊細な香り．http://www.prashantpardeshi.net ［3 章］

三井昌志（みつい・まさし）　写真家．バイクでインドを 8 周し，10 万 km 以上を走破．トウガラシ専門市場を撮影中，空気中に飛散するカプサイシンに目や鼻の粘膜が悲鳴を上げる瞬間，ここはインドなんだと実感する．https://tabisora.com ［コラム 1］

宮本隆史（みやもと・たかし）　大阪大学講師．専門は南アジア近代史．皇帝マスジッドの灼熱の段々に座していると，ふいに砂嵐アーンディーが吹き辺りを暗くする．砂埃と雨のにおいを帯びた冷気に歓声が上がり，ラーホールのモンスーンが始まる．［コラム 4］

村上明香（むらかみ・あすか）　筑紫女学園大学講師．専門はウルドゥー文学，インド・イスラーム文化．インドの香油屋でイトル（アルコール抜きの香油）を求めるたびにバラや白檀，麝香，沈香などの伝統的で純粋な香りに酔いしれてしまう．［7 章］

山﨑のり子（やまさき・のりこ）　有機食品取扱業．http://organicveg.cart.fc2.com 秋の夜，サプタパルニーの花がサーッと静かに降り注ぐ音を聴き，青い芳香に包まれるのが無上の幸せ．［12 章］

執筆者紹介（[ ] は担当章）

【編　者】

小磯千尋（こいそ・ちひろ）　亜細亜大学教授．専門はヒンドゥー思想史，マハーラーシュトラの地域研究．インドのにおいに包まれると細胞が活性化するのが分かる．乾燥しきった大地に恵の雨が降った時に立ち上る大地のにおいが気に入っている．[10 章]

小松久恵（こまつ・ひさえ）　追手門学院大学准教授．専門はヒンディー文学，インド地域研究．信号待ちに売りに来るジャスミンの花の濃厚な香り．後付けされた人工的なものだと聞かされながらも，滞在中一度は買わずにいられない．[11 章]

【執筆者】

飯田玲子（いいだ・れいこ）　金沢大学講師．専門は文化人類学．屋台から立ち上る古い揚げ物油とスパイスの香り，道に吐き捨てられた噛みタバコのにおいが渾然一体となって漂う，インドの都市ストリートのにおいが好き．[コラム 3]

上杉彰紀（うえすぎ・あきのり）　金沢大学特任准教授．専門は南アジア考古学．南アジア各地をローカルバスで旅すると，香辛料の香りも含めて，充満する人々の生活のにおいを感じることができる．[1 章]

小川道大（おがわ・みちひろ）　東京大学准教授．専門はインド社会経済史，マハーラーシュトラの歴史．インドの地方文書館にはコウモリ，猫，犬ときには猿がいる．長らく調査に行けないと，この獣臭さが恋しくなる．[2 章]

上池あつ子（かみいけ・あつこ）　中央学院大学准教授．専門は国際経営，インド製薬産業，日印経済関係．インドに到着すると，空気のにおいが体内細胞を活性化する．日本にいるより元気になる．[9 章]

菊池智子（きくち・ともこ）　翻訳家．専門はヒンディー語と日本語の翻訳・執筆，インドの女性問題，平和教育．デリー空港内のにおいは建て替えとともに変わってしまったが，外に出た瞬間の蒸し暑いにおいは相変わらずで，愛着がある．http://blog.livedoor.jp/shraddha　[5 章]

栗田知宏（くりた・ともひろ）　東京外国語大学南アジア研究センター特定研究員．専門は社会学，南アジア系移民研究，ポピュラー音楽研究．お香，スパイス，土ぼこり，人の汗のにおいなどが混ざり合い，独特の熱気を帯びた，大都市ムンバイーの下町の雑踏に強く惹かれる．[8 章]

や　行

ら　行

わ　行

さ　行

た　行

索　　引

イ ン ド文化読本

令和 4 年 11 月 30 日　発　行

編　者　小　磯　千　尋
　　　　小　松　久　恵

発行者　池　田　和　博

発行所　丸善出版株式会社
〒 101-0051 東京都千代田区神田神保町二丁目 17 番
編集：電話(03)3512-3265／FAX(03)3512-3272
営業：電話(03)3512-3256／FAX(03)3512-3270
https://www.maruzen-publishing.co.jp

組版印刷・株式会社 日本制作センター／製本・株式会社 松岳社

ISBN 978-4-621-30757-1　C 0022　Printed in Japan